NOTE DE L'ÉDITEUR

Les volumes de la collection sont imprimés en très grande série.

Un incident technique peut se produire en cours de fabrication et il est possible qu'un livre souffre d'une imperfection qui a pu échapper aux services de contrôle.

Dans ce cas, il ne faut pas hésiter à nous le renvoyer. Il sera immédiatement échangé.

Les frais de port seront remboursés.

UN, DEUX, TROIS...

DANS CETTE COLLECTION
paraissent les romans
des meilleurs auteurs français et étrangers :

EXBRAYAT
RAY LASUYE
FRANCIS DIDELOT
GEORGE BELLAIRS
JOHN CASSELLS
FRANCIS DURBRIDGE
R. L. GOLDMAN
MICHAEL HALLIDAY
RUFUS KING
MICHAEL LOGGAN
E. C. R. LORAC
STEPHEN RANSOME
COLIN ROBERTSON
DOROTHY SAYERS
PATRICIA WENTWORTH
etc...

ENVOI DU CATALOGUE COMPLET SUR DEMANDE

Un, deux, je lace mes souliers,
Trois, quatre, je ferme la porte,
Cinq, six, je ramasse des bouts de bois,
Sept, huit, je les mets bien droit,
Neuf, dix, une poule bien grasse,
Onze, douze, les hommes doivent bêcher,
Treize, quatorze, des filles se font faire la cour,
Quinze, seize, d'autres sont à la cuisine,
Dix-sept, dix-huit, d'autres font le service,
Dix-neuf, vingt, mon assiette est vide !

(*Vieille complainte anglaise.*)

CHAPITRE PREMIER

UN, DEUX, JE LACE MES SOULIERS...

I

Quand il s'assit à table pour le petit déjeuner, Mr Morley n'était pas d'excellente humeur.

Il se plaignit du bacon, demanda pourquoi le café avait l'apparence d'une boue liquide et déclara que les biscuits étaient plus mauvais qu'ils n'avaient jamais été.

Mr Morley était un petit homme à la mâchoire décidée et au menton combatif. Sa sœur, qui tenait sa maison — une femme de belle taille, qui ressemblait à un dragon — le considéra d'un air pensif et lui demanda si, une fois encore, on lui avait préparé un bain trop froid.

Maussade, il répondit que non et jeta un coup d'œil sur son journal. L'instant d'après, il proclamait que le gouvernement, dont il n'avait jusqu'alors déploré que l'incompétence, devenait maintenant notoirement néfaste.

Miss Morley, de sa voix profonde, dit que c'était bien dommage. Les ministres, quels qu'ils fussent, lui ayant toujours semblé de quelque utilité, elle pressa son frère de lui expliquer *pourquoi* la politique du présent cabinet était inopérante, stupide et dangereuse.

Mr Morley lui donna satisfaction, prit une seconde tasse de ce café qu'il trouvait odieux, et avoua enfin la véritable raison de sa mauvaise humeur.

— Ces filles, dit-il, sont toutes les mêmes ! Elles ne pensent qu'à elles, et on ne peut pas compter sur elles !

— C'est de Gladys que tu parles?

— Oui. Elle vient de m'informer que sa tante a eu une attaque et qu'elle a été obligée de partir pour le Somerset.

— C'est très ennuyeux, mais ce n'est pas sa faute à elle !

Mr Morley hocha la tête d'un air sombre :

— Qui me prouve que sa tante a vraiment eu une attaque et qu'il ne s'agit pas là d'un coup monté avec la complicité de ce jeune homme peu recommandable avec lequel elle est tout le temps? Ils ont décidé de s'offrir une journée de congé, voilà tout !

— J'ai bien du mal à croire ça de Gladys. Je l'ai toujours trouvée très consciencieuse.

— Bien sûr ! Mais...

— C'est une fille intelligente et qui aime son travail, c'est toi-même qui me l'as dit !

— Oui, Georgina, j'ai dit ça ! Mais c'était avant qu'elle ne se mît à fréquenter cette espèce d'individu. Elle a beaucoup changé en ces derniers temps. On ne la reconnaît plus. Elle rêve, elle pense à autre chose, elle est nerveuse...

Le dragon poussa un soupir :

— Que veux-tu, Henry? Toutes les filles finissent par tomber amoureuses ! On n'y peut rien !

Mr Morley répliqua d'un ton sec :

— Il ne faut pas que ça les empêche de faire ce qu'elles ont à faire ! J'ai une secrétaire, j'ai besoin d'elle ! Aujourd'hui, surtout ! J'ai quelques malades très importants... et tout ça est bien agaçant !

— Je te l'accorde volontiers. A propos, ce petit que tu as engagé, il se fait ?

— Mal. Il n'est pas fichu de prendre un nom correctement et ses manières sont déplorables ! S'il ne s'améliore pas, je serai obligé de le renvoyer et d'en essayer un autre ! Il y a vraiment dans les actuelles méthodes d'éducation quelque chose qui cloche ! Elles semblent ne former que de jeunes hurluberlus qui ne comprennent pas ce qu'on leur dit et qui s'en souviennent encore moins !

Il consulta sa montre et reprit :

— Je m'en vais. J'ai une matinée chargée et il faut que je trouve moyen de m'occuper de cette dame Sainsbury Seale. Elle souffre. Je lui avais conseillé de voir Reilly, mais elle ne veut pas entendre parler de lui !

— Je la comprends !

— Reilly est très capable. Il connaît son métier...

— Sa main tremble, répondit miss Morley. Pour moi, *c'est un homme qui boit.*

Morley sourit et quitta la table, sa bonne humeur retrouvée.

— Comme d'habitude, dit-il, je monterai vers une heure et demie pour grignoter un sandwich.

II

Au Savoy, M. Amberiotis explorait ses dents avec un cure-dents. Il souriait.

Ses affaires étaient en bonne voie.

Comme toujours, la chance était avec lui. Il n'avait pas perdu son temps, en disant à cette imbécile de femme quelques mots gentils ! Ce qui lui arrivait, il l'avait d'ailleurs mérité. Il avait toujours été un brave homme et il s'était toujours montré généreux. A l'avenir, il pourrait l'être plus encore. Des images heureuses passaient devant ses yeux. Le petit Dimitri... Cet excellent Constantopoulos, qui se débattait avec son restaurant... Pour eux, quelle magnifique surprise !

Le cure-dents toucha un endroit sensible et M. Amberiotis fit la grimace. Les aimables anticipations s'effacèrent. Un futur plus immédiat et assez inquiétant sollicitait M. Amberiotis. D'une langue précautionneuse, il explora une cavité. Puis, il tira de sa poche son carnet. Midi, 58, Queen Charlotte Street.

Il essaya de retrouver son optimisme de tout à l'heure. Vains efforts. Pour le moment, l'avenir tenait en quelques mots : « 58, Queen Charlotte Street, midi. »

III

Au Glengowrie Court Hotel, dans South Kensington, le petit déjeuner venait de prendre fin. Assises dans le hall, miss Sainsbury Seale et Mme Bolitho bavardaient. Placées dans la salle à manger à des tables voisines, elles avaient fait amitié huit jours plus tôt, au lendemain de l'arrivée de miss Sainsbury Seale.

— Vous savez, ma chère, que ça ne me fait plus mal ! Plus du tout ! J'ai envie de téléphoner...

— N'en faites rien ! s'écria Mme Bolitho. Allez chez le dentiste et finissez-en !

Mme Bolitho était une grande femme à la voix grave et qui paraissait née pour commander. Miss Sainsbury Seale était une femme d'une quarantaine d'années, dont les cheveux grisonnaient en boucles négligemment entretenues. Ses vêtements ne ressemblaient à rien. Elle avait le genre « artiste », son lorgnon tombait tout le temps et elle parlait beaucoup.

— Mais, reprit-elle, puisque je vous dis que je n'ai plus mal !

— Oui ! Seulement vous n'avez presque pas dormi de la nuit !

— C'est exact ! Mais je suis persuadée que, maintenant, le nerf est mort !

— Raison de plus pour aller chez le dentiste !... Dans ce cas-là, c'est toujours la peur qui nous retient. Eh bien ! il faut se montrer résolue et en finir !

Miss Sainsbury Seale faillit répondre : « Vous en parlez à votre aise ! On voit qu'il ne s'agit pas de vos dents ! », mais elle se contenta de dire :

— Je crois, ma chère amie, que vous avez raison. D'ailleurs, Mr Morley est très doux et il ne fait jamais mal !

IV

La réunion du conseil de direction venait de s'achever. Tout s'était passé gentiment. Le rapport était excellent. Tout le monde devait être satisfait. Cependant, Mr Samuel Rotherstein, à qui aucune nuance ne pouvait échapper, avait remarqué *quelque chose* dans l'attitude du président.

A deux ou trois reprises, Alistair Blunt s'était

exprimé sur un ton bref et acerbe que rien ne justifiait.

Un ennui caché? A la réflexion, non. Ça ne ressemblait pas à Alistair Blunt.

Alors, le foie?... Mr Rotherstein souffrait du foie, de temps à autre. Mais jamais Alistair ne se plaignait du sien. Il avait une santé magnifique !

Pourtant, il y avait quelque chose. Une fois ou deux, il s'était passé la main sur la figure, se caressant longuement le menton d'une façon qui ne lui était pas habituelle. Et, à plusieurs reprises au cours de la séance, il avait paru penser à autre chose. Sortant de la salle du conseil, ils se trouvèrent ensemble en haut de l'escalier.

— Puis-je vous déposer quelque part? demanda Rotherstein.

Blunt fit non de la tête.

— Ma voiture m'attend, expliqua-t-il.

Il regarda sa montre et ajouta :

— J'ai rendez-vous chez le dentiste.

Le mystère était éclairci.

V

Hercule Poirot descendit de taxi, paya et sonna au 58, Queen Charlotte Street.

Après un court délai d'attente, un jeune groom aux cheveux roux et au visage grêlé de taches de son vint lui ouvrir.

— Monsieur Morley? demanda Hercule Poirot.

Au fond de lui-même, il y avait l'espoir ridicule que Mr Morley fût absent, malade, ou qu'il ne reçût pas ce jour-là. Mais le groom s'effaçait, Hercule

Poirot entrait et la porte se refermait sur lui. Lourde comme le Destin.

— Votre nom, monsieur, s'il vous plaît?

Poirot le lui donna et passa dans le salon d'attente, une pièce meublée avec goût, mais qui lui parut d'une infinie tristesse, avec ses rideaux de velours bleu, ses meubles en imitation d'ancien et ses fauteuils sur la tapisserie desquels des oiseaux rouges voletaient parmi les fleurs.

Un monsieur attendait déjà. Allure militaire, teint jaune et moustache arrogante. Il considéra Poirot comme s'il se fût agi d'un insecte nuisible. On aurait dit qu'il regrettait de ne pas avoir sur lui, non pas un revolver, mais un flacon de poudre insecticide. Poirot le toisa avec mépris et songea qu'il y a des gens si désagréables et si ridicules que ce serait une bonne chose que de les supprimer dès leur arrivée sur la terre.

Le monsieur s'empara du *Times,* tourna son fauteuil de façon à ne plus voir Poirot et se mit à lire.

Poirot ouvrit le *Punch.* Sa bonne volonté était entière, mais aucune plaisanterie ne le fit sourire.

Le groom parut sur le seuil de la porte et demanda le colonel Arrowbumby. Le monsieur se leva et s'en fut.

Poirot se disait que c'était là un nom parfaitement grotesque quand la porte s'ouvrit de nouveau pour livrer passage à un homme d'une trentaine d'années.

Poirot, tandis que le nouveau venu prenait un magazine sur la table, l'examinait à la dérobée. Il ne le trouvait pas sympathique. Il avait même l'air dangereux. « Et, songea Poirot, ce serait un assassin que je n'en serais pas surpris! » En tout cas, il ressemblait à un assassin plus qu'aucun de ceux que Poirot avait arrêtés au cours de sa carrière.

Le groom reparut et demanda :

— Monsieur Peerer?

Poirot conclut — justement — qu'il devait s'agir de lui. Il se leva et suivit son jeune guide jusqu'à un petit ascenseur qui le déposa au deuxième étage. Un couloir, une porte, une antichambre, une seconde porte, et Poirot se trouva dans le cabinet du dentiste.

Il entendit un bruit d'eau courante et se retourna. Mr Morley, en professionnel consciencieux, se lavait les mains avant de s'occuper de lui.

VI

Il y a des moments humiliants dans la vie des grands hommes. On a dit que nul n'était un héros pour son valet de chambre. On peut ajouter que nul ne se sent l'âme d'un héros quand il se trouve devant son dentiste.

Hercule Poirot en avait parfaitement conscience. Il avait, en général, bonne opinion de lui-même. Il était Hercule Poirot et se tenait pour supérieur à la plupart de ses contemporains. Mais, pour le moment, il se sentait bien petit. Il n'était rien qu'un homme comme les autres, un pauvre homme terrorisé à l'idée de s'asseoir dans le fauteuil du dentiste.

Mr Morley, ses ablutions professionnelles terminées, lui parlait sur un ton encourageant :

— Le temps n'est pas encore très chaud pour la saison...

Avec des gestes enveloppants, il amenait Poirot à l'endroit voulu : devant le fauteuil. D'une main experte, il mettait l'appuie-tête dans la position convenable.

Hercule Poirot prit une profonde inspiration et

s'assit, abandonnant sa tête aux doigts délicats de Mr Morley, qui la disposait comme il fallait.

— Vous êtes bien comme ça? demanda Mr Morley, avec une horrible bonne humeur.

Poirot répondit oui d'une voix sépulcrale.

Mr Morley approcha une petite table, prit d'une main un miroir minuscule et de l'autre un instrument pointu, et s'apprêta à officier. Hercule Poirot, les mains crispées sur les bras du fauteuil, ferma les yeux et ouvrit la bouche.

— Y a-t-il une dent qui vous fasse souffrir? s'enquit le dentiste.

De façon assez confuse, car il est difficile de s'expliquer la bouche ouverte, Hercule Poirot réussit à faire comprendre qu'aucune de ses dents ne lui faisait mal, mais qu'il tenait à se faire examiner la mâchoire, comme c'était son habitude, tous les six mois. Il était possible qu'il n'eût pas besoin de soins particuliers, mais peut-être y avait-il lieu de regarder d'un peu près la deuxième grosse molaire, en bas, à gauche...

Mr Morley menait ses investigations avec soin.

— Ce plombage est un peu détérioré, mais ce n'est rien de grave... Je constate avec plaisir que vos gencives sont en parfait état...

Un silence suivit. Mr Morley donnait sur une dent de petits coups inquisiteurs. Fausse alerte. Il passa à la mâchoire inférieure. Rien à la première molaire. Rien à la seconde. La troisième, par contre... « Il a trouvé quelque chose, l'animal ! » songea Poirot.

— Cette dent-là ne vous a pas fait mal, ces temps-ci? Ça m'étonne...

L'inspection s'acheva enfin. Mr Morley se redressa, satisfait, et rendit son verdict.

— Rien de grave. Un plombage ou deux à revoir

et quelques soins à cette molaire du haut. Nous allons arranger ça tout de suite !

Il toucha un commutateur d'électricité et Poirot entendit un petit bourdonnement. Le dentiste, sa fraise préparée, commençait son épouvantable besogne.

— Prévenez-moi si je vous fais mal !

Poirot fit la grimace, poussa quelques menus gémissements, mais, dans l'ensemble, se tint honorablement. Comme il levait la main pour arrêter le supplice, celui-ci cessait. Pour recommencer peu après, lorsque Poirot se fut rincé la bouche.

Tandis que Mr Morley préparait l'amalgame dont il allait remplir la menue cavité qu'il venait de creuser, la conversation reprit.

— Ce matin, expliqua le dentiste, je suis obligé de faire tout moi-même. Miss Nevill a été appelée en province. Vous vous souvenez d'elle?

Poirot, mensongèrement, répondit que oui.

— Elle a été voir une parente qui est tombée malade, poursuivit Mr Morley. Ces choses-là arrivent toujours les jours où l'on a beaucoup à faire ! Je suis déjà en retard sur mon horaire. Le malade qui vous précédait n'était pas à l'heure et tout mon programme se trouve décalé, ce qui est d'autant plus fâcheux que je dois m'occuper d'une dame qui, paraît-il, souffre énormément. Je me réserve toujours, dans la matinée, un quart d'heure, pour ces cas d'urgence. Mais, aujourd'hui, il ne me sera pas facile de le trouver !

Mr Morley jeta un coup d'œil sur ce qu'il pilait dans son petit mortier et reprit :

— Une chose que j'ai remarquée, monsieur Poirot, c'est que les gens importants, ceux qui occupent de grosses situations, sont toujours à l'heure et ne vous font jamais attendre. Les rois, par exemple, sont la ponctualité même. De même, les grands financiers. J'en vois un, ce matin. Un très grand. Alistair Blunt !

Il avait prononcé le nom avec emphase.

Poirot avait dans la bouche des tampons d'ouate et sous la langue un petit tube de verre. Faute de pouvoir parler, il répondit par un grognement inintelligible.

Alistair Blunt ! C'étaient les noms comme celui-là qui comptaient maintenant ! Plus question de ducs, de comtes, de premiers ministres ! Mr Alistair Blunt ne revendiquait aucun titre. C'était un homme dont le grand public ne connaissait pas les traits, dont les journaux parlaient rarement, un Anglais dont les bonnes gens ne savaient que peu de chose, mais qui se trouvait à la tête de la plus grosse banque du royaume. Un homme puissamment riche. Qui pouvait dicter sa loi aux gouvernements. Un homme qui menait une vie discrète, qui ne prenait jamais la parole en public et qui disposait de pouvoirs pratiquement illimités.

Tout en plombant la dent de Poirot, Mr Morley parlait de son richissime malade sur un ton empreint de respect.

— Il arrive toujours très exactement à l'heure. La plupart du temps, il renvoie sa voiture et rentre chez lui à pied. Un homme charmant et très simple. Il aime le golf et les beaux jardins. Jamais vous ne croiriez qu'il peut acheter la moitié de l'Europe s'il en a envie ! A le voir, comme ça, c'est un homme comme vous et moi !

Poirot goûta peu l'assimilation. Mr Morley était un excellent dentiste, mais on trouvait à Londres beaucoup d'autres dentistes, qui, eux aussi, étaient excellents. Alors qu'il n'y avait, dans le monde entier, qu'un seul Hercule Poirot.

Poirot se rinça de nouveau la bouche. Mr Morley, tout en s'attaquant à la seconde dent, reprenait :

— C'est notre réponse, voyez-vous, à tous ces dictateurs continentaux : Hitler, Mussolini et consorts ! Chez nous, on aime la simplicité. Voyez le roi ! C'est un authentique démocrate. Evidemment, pour un Français tel que vous, habitué aux institutions républicaines...

Poirot protesta comme il put :

— Pas Français !... Belge !

Mr Morley, soufflant de l'air chaud dans la cavité, lui enjoignit doucement de se taire et poursuivit :

— Je ne savais pas que vous étiez Belge. Le roi Léopold était un homme remarquable, je l'ai toujours entendu dire. Pour moi, je suis très attaché à la royauté. Elle a du bon, vous savez ! Voyez comme les rois se souviennent des visages et des noms ! C'est, d'ailleurs, je pense, une aptitude naturelle. Pour ma part, j'oublie les noms, mais jamais un visage. C'est ainsi que j'ai retrouvé, l'autre jour, un de mes malades, dont le nom ne me disait rien mais que je suis sûr d'avoir déjà vu. Je me suis demandé où je l'avais rencontré et je suis certain de me le rappeler, un jour ou l'autre ! Voudriez-vous vous rincer la bouche, je vous prie?

Deux minutes plus tard, Poirot descendait du fauteuil. Il se retrouvait de nouveau un homme libre.

— J'espère, monsieur Poirot, lui dit le dentiste au moment où il allait prendre congé, que vous n'avez pas découvert de criminel dans ma maison?

— Avant d'arriver ici, répondit Poirot en souriant, j'étais prêt à considérer tout le monde comme un assassin ! Maintenant, c'est un peu différent !

— Evidemment, mais convenez que les dentistes ne sont plus aussi redoutables qu'ils l'étaient autrefois ! Dois-je vous appeler l'ascenseur?

— Non, merci. Je descendrai à pied.

Poirot s'en alla. Comme il arrivait aux dernières marches, il vit le colonel qui quittait la maison. Devenu indulgent, Poirot se dit que, tout bien réfléchi, ce n'était probablement pas un mauvais homme. Un beau fusil, sans doute, qui avait dû tuer plus d'un tigre. Un soldat. Un des pionniers de l'Empire.

Poirot entra dans le salon d'attente, pour y prendre son chapeau et sa canne qu'il y avait laissés. Le jeune homme était toujours là, ce qui le surprit un peu. Il y avait aussi un autre malade qui lisait le *Field*.

Poirot considéra de nouveau le jeune homme. Il lui retrouva cet air féroce qu'il avait remarqué tout à l'heure, l'air d'un monsieur qui deviendrait volontiers un criminel, mais il se dit aussi que ce n'était pas là un véritable assassin. Lorsque le dentiste en aurait terminé avec lui, ce jeune homme descendrait l'escalier d'un pas léger, avec le bon sourire de quelqu'un qui ne veut de mal à personne.

Le groom entra et appela Mr Blunt.

L'homme qui lisait le *Field* posa le journal sur la table et se leva. C'était un type d'un certain âge, ni gras ni maigre. Très bien habillé. Il sortit derrière le groom.

Mr Blunt était riche et puissant. Mais, comme chacun, il lui fallait aller chez le dentiste. Et l'épreuve lui était aussi pénible qu'à n'importe qui !

Poirot prit sa canne et son chapeau et marcha vers la porte. Comme il la refermait, ses yeux, une fois encore, rencontrèrent ceux du jeune homme. Il se dit que le pauvre garçon devait, décidément, souffrir des dents de façon peu banale !

Dans le vestibule, Poirot s'arrêta devant une glace pour donner un coup de peigne à ses moustaches, dont la belle ordonnance avait un peu souffert dans le cabinet de Mr Morley. Il venait de la rétablir quand, sortant de l'ascenseur, le groom apparut au fond du hall. Il sifflait à pleins poumons. Il s'interrompit net en apercevant Poirot et se précipita pour lui ouvrir la porte.

Un taxi était arrêté devant la maison. Un pied de femme se montrait par la portière. Poirot le regarda, intéressé.

Une cheville bien faite. De jolis bas. Un pied menu, mais un soulier peu heureux. Un soulier de cuir tout neuf, avec une énorme boucle brillante. Poirot hocha la tête. Cette chaussure manquait de chic et faisait très province.

La dame sortait du taxi. Ce faisant, elle se prit malencontreusement un pied dans la portière, arrachant de son autre chaussure une boucle qui vint tomber sur le trottoir avec un bruit métallique. Poirot s'empressa de la ramasser et la rendit à la dame, avec une courtoise inclination du buste.

Hélas ! Elle était plus près de cinquante ans que de quarante, portait un pince-nez, avait les cheveux teints et des vêtements qui ne lui allaient pas ! Elle remercia Poirot et laissa tomber son lorgnon d'abord, puis son sac.

Poli, Poirot ramassa l'un et l'autre.

Ses biens récupérés, elle monta le perron du 58, Queen Charlotte Street. Poirot s'approcha du chauffeur qui contemplait d'un air dégoûté le maigre pourboire dont la dame l'avait gratifié.

— Vous êtes libre?

— Oui.

— Moi aussi, dit Poirot. Et même libéré !

Il remarqua que le chauffeur le dévisageait d'un œil inquiet.

— Rassurez-vous, ajouta-t-il, je ne suis pas ivre. Je viens de chez le dentiste et je suis libéré de lui pour six mois ! C'est une pensée bien consolante !

CHAPITRE II

TROIS, QUATRE, JE FERME LA PORTE...

I

Il était trois heures moins le quart quand le téléphone sonna.

Hercule Poirot, qui faisait la sieste après un excellent déjeuner, ne bougea pas. Il attendit l'arrivée du fidèle George, qui prit la communication.

— Un instant, monsieur, dit George, éloignant le récepteur de son oreille.

— Qui est-ce? demanda Poirot.

— L'inspecteur-chef Japp, monsieur !

— Ah !

Poirot porta le récepteur à son oreille :

— Alors, mon vieux Japp, dit-il, que se passe-t-il?

— C'est vous, Poirot?

— Indiscutablement.

— On me dit que vous êtes allé chez le dentiste, ce matin. C'est exact?

— Scotland Yard est vraiment renseigné !

— Chez un certain Morley, 58, Queen Charlotte Street?

— Oui. Pourquoi?

Le ton de Poirot avait changé. Il ne plaisantait plus.

Japp reprit :

— C'était une visite véritable que vous lui faisiez? Vous n'étiez pas chez lui par devoir professionnel?

— Du tout ! S'il faut tout vous dire, sachez qu'il m'a plombé trois dents !

— Quelle impression vous a-t-il faite? Ses manières ne vous ont pas paru bizarres?

— Pas le moins du monde ! Pourquoi?

Japp répondit d'un ton égal :

— Parce que, peu après votre départ, il s'est tué d'un coup de revolver.

— Hein?

— Ça vous étonne?

— Franchement, oui !

— Et, moi, il y a là-dedans des choses qui m'ennuient !... J'aimerais vous parler. Vous ne pourriez pas venir jusqu'ici?

— Où êtes-vous?

— Queen Charlotte Street.

— Parfait ! J'arrive.

II

C'est un agent de police qui ouvrit à Poirot la porte du 58.

— Monsieur Poirot? demanda l'homme d'un ton respectueux.

— C'est moi-même.

— L'inspecteur-chef est en haut. Au second étage. Vous savez où?

— J'y étais encore ce matin !

Il y avait trois hommes dans la pièce. Japp leva la tête à l'entrée de Poirot.

— Heureux de vous voir, Poirot ! Nous allons l'enlever. Vous voulez le regarder, avant?

Un photographe, agenouillé près du cadavre, se releva. Poirot s'approcha du corps, allongé près de la cheminée.

Mr Morley était à peu près dans la mort tel qu'il était de son vivant. Il avait un petit trou noir, un peu au-dessous de la tempe droite. Sur le plancher, près de sa main droite ouverte, il y avait un revolver.

Poirot hocha la tête.

— Vous pouvez l'enlever, dit Japp à ses hommes.

Japp et Poirot restèrent seuls.

— Le travail ordinaire est terminé, déclara Japp. Empreintes digitales, etc.

— Alors? fit Poirot, s'asseyant.

— Alors, reprit Japp, il est *possible* qu'il se soit donné la mort. C'est même *probable*. Les seules empreintes qu'on retrouve sur l'arme sont les siennes. Mais l'hypothèse ne me donne qu'à moitié satisfaction.

— Pourquoi?

— D'abord, parce qu'il semble n'avoir eu *aucune raison* de se tuer. Il se portait bien, il gagnait de l'argent et, d'après ce que disent les gens, n'avait pas d'ennuis. Pas d'intrigue non plus, autant que nous sachions. Ces derniers temps, il était lui-même. Pas nerveux, pas abattu, pas triste. C'est un peu pourquoi je vous ai fait signe. Vous l'avez vu ce matin. Vous n'avez rien remarqué?

— Rien du tout ! Il m'a paru aussi normal qu'on peut l'être !

— Vous avouerez que c'est étrange ! Et puis, est-ce qu'un homme se tue au milieu de la journée, quand il est en plein travail? Pourquoi n'a-t-il pas attendu le soir?

— A quelle heure le drame a-t-il eu lieu?

— Je ne sais pas exactement. Personne n'a entendu le bruit de la détonation, semble-t-il. Cela n'a d'ailleurs rien de surprenant. Entre le couloir et cette pièce, il y a deux portes, toutes les deux pourvues de bourrelets. Il redoutait, sans doute, qu'on entendît les cris des patients assis dans son fauteuil.

— C'est possible.

— D'autre part, dans la rue, le trafic est intense, de sorte qu'il est assez naturel que personne n'ait rien entendu.

— Qui a trouvé le corps?

— Le groom, Alfred Biggs, vers une heure et demie. Il n'est pas très intelligent, soit dit au passage. Il semble que la personne qui avait rendez-vous à midi et demi a trouvé que Morley la faisait attendre exagérément. Elle a appelé le groom, qui est allé frapper à la porte du cabinet. Il n'a pas obtenu de réponse et n'a pas osé entrer. Morley lui avait donné quelques avertissements sérieux et il avait peur de faire une bêtise. Il est redescendu et la malade — c'était une femme — est partie, furieuse, à une heure et quart. Je ne puis pas lui donner tort. Elle attendait depuis trois quarts d'heure et devait commencer à avoir faim !

— Vous savez son nom?

Japp fit la grimace :

— D'après le groom, elle s'appelait miss Shirty, mais, d'après le livre de rendez-vous, son nom serait Kirby.

— Comment Morley s'y prenait-il pour se faire amener ses malades?

— Quand il était prêt à en recevoir un, il appuyait sur ce bouton, alertant le groom, qui allait chercher la personne qu'il attendait.

— A quelle heure s'est-il servi de cette sonnerie pour la dernière fois?

— A midi cinq. Le groom lui a conduit le malade qui était dans le salon d'attente. D'après le livre de rendez-vous, un certain M. Amberiotis, qui réside au Savoy.

Un sourire passa sur les lèvres de Poirot :

— Je me demande ce que le groom a pu faire de ce nom-là !

— Un joli hachis, sans doute ! Nous le lui demanderons quand nous aurons envie de rire...

— Et à quelle heure ce M. Amberiotis est-il reparti?

— Le groom ne l'a pas accompagné et il n'en sait rien. Il y a beaucoup de malades qui n'appellent pas l'ascenseur pour descendre et qui se retirent sans être reconduits.

Poirot indiqua, d'un mouvement de tête, qu'il était au courant.

— Mais, poursuivait Japp, j'ai téléphoné au Savoy et M. Amberiotis est formel. Il a regardé sa montre en sortant. Il était midi vingt-cinq !

— Il ne vous a rien appris d'important?

— Rien. Il déclare que Morley était parfaitement calme, parfaitement normal...

— Eh bien ! dit Poirot, voilà qui me semble clair. Entre midi vingt-cinq et une heure et demie, il s'est passé quelque chose. Probablement plus près de midi vingt-cinq que d'une heure et demie.

— Oui. Car, autrement...

— Autrement, Morley aurait fait introduire la malade suivante...

— Les conclusions du médecin légiste, dans la

mesure où elles peuvent vous paraître intéressantes, s'accordent avec ce que vous venez de dire. Il a examiné le corps à deux heures vingt. Il ne veut pas s'engager — c'est maintenant la mode chez ces messieurs — mais il déclare que Morley ne peut pas être mort *après* une heure. Pour lui, le décès a eu lieu sensiblement plus tôt. Mais il ne veut rien préciser.

— Ainsi, dit pensivement Poirot, à midi vingt-cinq, notre dentiste est un homme normal, qui trouve la vie belle et exerce son art avec son talent ordinaire. Après midi vingt-cinq, désespoir, découragement, ce que vous voudrez... et il se tue !

— C'est drôle ! Il faut admettre que c'est drôle.

— Drôle n'est pas le mot, fit remarquer Poirot.

— Je sais, mais je me comprends. Disons, si vous préférez, que c'est bizarre !

— L'arme lui appartenait?

— Non. Il n'avait pas de revolver et n'en avait jamais eu. Sa sœur déclare qu'il n'y en avait pas dans la maison. Il est évidemment possible qu'il en ait acheté un. Ce n'est pas invraisemblable, s'il avait l'intention de mettre fin à ses jours. C'est un point, je pense, sur lequel nous serons vite fixés.

— Y a-t-il encore quelque chose qui vous ennuie? demanda Poirot.

Japp se gratta le nez :

— Oui, répondit-il. La façon dont il était allongé par terre. Je n'irai pas jusqu'à dire qu'un homme ne peut pas tomber comme il semble l'avoir fait, mais, tout de même, cette position du cadavre ne m'a pas paru normale. D'autre part, il y avait sur le tapis quelques traces laissant supposer qu'on avait traîné quelque chose...

— Très intéressant !

— Oui, si ce n'est pas ce satané gosse ! J'ai vaguement idée qu'il a essayé de bouger le corps quand il l'a trouvé. Il jure qu'il n'en a rien fait, naturellement, mais c'est sans doute parce qu'il a peur. Il m'a l'air d'être de ces loustics qu'il faut tout le temps réprimander et qui finissent par mentir de façon quasi automatique.

Poirot examinait la pièce. Son attention se porta successivement sur le lavabo, placé près de la porte, sur le haut classeur appuyé au mur, sur le fauteuil et ses accessoires juste devant la fenêtre et sur l'endroit du tapis où tout à l'heure le cadavre était étendu.

Près de la cheminée, il y avait une porte. Répondant à l'interrogation muette de Poirot, Japp l'ouvrit et dit :

— C'est un petit bureau.

C'était une pièce minuscule, sans autre porte, sommairement meublée : un bureau, quelques chaises, une table, sur laquelle se trouvaient une lampe à alcool et un plateau à thé.

— C'est là que travaillait sa secrétaire, expliqua Japp. Miss Nevill. Elle est absente aujourd'hui.

— C'est effectivement ce qu'il m'a dit, ajouta Poirot. Un point à retenir contre la théorie du suicide.

— Le fait qu'elle n'était pas là?

Japp réfléchit un instant.

— Si ce n'est pas un suicide, reprit-il, on l'a tué. Mais pourquoi? L'hypothèse d'un crime paraît aussi peu vraisemblable que l'autre. Il semble que le bonhomme était parfaitement inoffensif et je ne vois pas qui aurait voulu le tuer !

— Demandons-nous plutôt qui a pu le faire?

— Réponse, dit Japp : bien des gens ! Sa sœur peut être descendue de l'appartement, situé au-dessus, et l'avoir tué. Un domestique également. Reilly, son associé, peut l'avoir tué. De même, le jeune Alfred. De même encore un de ses malades, *et plus particulièrement — question d'heure — cet Amberiotis.*

— C'est juste, fit Poirot. Mais il faut trouver pourquoi !

— Nous revenons à notre problème original : pourquoi? Amberiotis est au Savoy. Quelle raison un riche Hellène peut-il avoir d'assassiner un simple dentiste britannique?

Poirot haussa les épaules :

— Il y a des jours, dit-il, où la mort manque de sens artistique et semble se tromper dans son choix. Un Grec mystérieux, un riche banquier, un détective célèbre. Trois personnages dont l'assassinat n'aurait surpris personne. Les mystérieux étrangers s'occupent souvent d'espionnage, les riches banquiers font parfois des opérations qui les conduisent sûrement au trépas, et les criminels sont très partisans de la suppression des détectives célèbres...

— Alors que le pauvre Morley n'était un danger pour personne, ajouta Japp.

— C'est ce que je me demande! dit soudain Poirot.

Japp leva la tête :

— Vous savez quelque chose?

— Non. C'est un souvenir qui me revient.

Il répéta à Japp les quelques mots de Morley, parlant de sa mémoire des physionomies et de ce malade qu'il avait reconnu.

Japp restait sceptique :

— Evidemment, conclut-il, c'est possible. Mais ça me paraît un peu tiré par les cheveux! Les malades que vous avez vus, ce matin, ne vous ont pas semblé suspects?

— Sauf un, répondit Poirot. Un jeune homme, qui avait tout à fait une figure d'assassin!

— Hein?

— Je précise, mon cher, que c'est l'impression qu'il m'a faite avant que je n'entre dans le cabinet de Morley. J'étais nerveux, inquiet, et de très mauvaise humeur. Tout me paraissait sinistre : le salon d'attente, les malades, même le tapis de l'escalier! La vérité, je crois, c'est que ce jeune homme souffrait terriblement des dents.

— Je sais ce que c'est, dit Japp. Quoi qu'il en soit, nous l'entendrons. Comme nous entendrons tout le monde, qu'il s'agisse d'un suicide ou non! Je pense que nous pourrions commencer par miss Morley, avec qui j'ai déjà échangé quelques mots. Elle a reçu un choc, mais elle est de ces femmes qui savent réagir. Allons la voir!

III

Triste et digne, Georgina Morley écouta ce que les deux hommes avaient à lui dire et répondit à leurs questions.

— Il me semble incroyable, absolument incroyable, déclara-t-elle avec force, que mon frère se soit donné la mort.

— Vous vous rendez compte, mademoiselle, dit Poirot, qu'en dehors du suicide il n'y a qu'une autre hypothèse possible?

— Un assassinat?

Elle réfléchit avant d'ajouter :

— Oui... Et cette hypothèse est presque aussi invraisemblable que l'autre!

— Vous dites « presque »?

— Oui. Pour le suicide, voyez-vous, *je sais*. L'état d'esprit de mon frère, ce matin, je sais ce qu'il était. Je sais que rien ne le tourmentait, je sais qu'il n'avait *aucune raison*, aucune, de se donner la mort !

— Vous l'avez vu ce matin?

— Au petit déjeuner.

— Il était comme d'habitude? Il ne vous a pas paru soucieux?

— Il était soucieux, mais pas au sens où vous l'entendez. Plus exactement, il était ennuyé.

— Et pourquoi?

— Il avait une matinée très occupée et sa secrétaire, qui était aussi son assistante, allait lui manquer.

— Miss Nevill, je crois?

— C'est cela.

— En quoi consistaient les fonctions de miss Nevill?

— Elle faisait le courrier, bien entendu, elle tenait le livre de rendez-vous et remplissait les fiches des malades. D'autre part, c'est elle qui stérilisait les instruments et préparait les amalgames.

— Elle travaillait avec Mr Morley depuis longtemps?

— Depuis trois ans. C'est une jeune fille très consciencieuse et nous l'aimions beaucoup.

— Votre frère m'a dit, je crois, fit Poirot, qu'elle avait été appelée en province, auprès d'une parente malade?

— C'est cela. Elle a reçu un télégramme l'informant que sa tante venait d'avoir une attaque. Elle est partie pour le Somerset ce matin, par le premier train.

— Et c'est ce qui ennuyait tellement votre frère?

— Oui.

Il y avait un peu d'hésitation dans la réponse. Miss Morley se hâta d'ajouter :

— Ne croyez pas que mon frère manquait de cœur ! Non... C'est seulement parce qu'il s'était imaginé, un instant, que...

— Que?

— Mon Dieu ! qu'elle lui avait raconté une histoire ! Comprenez-moi bien ! Je suis sûre qu'il n'en était rien. C'est une chose dont Gladys ne serait pas capable et c'est bien ce que j'ai dit à Henry. Elle s'est fiancée à un jeune homme assez discutable, Henry avait trouvé cela assez déplaisant. Il était convaincu que c'était le jeune homme qui avait persuadé Gladys de s'offrir une journée de congé.

— Etait-ce vraisemblable?

— Je suis sûre que non ! Gladys, je le répète, est une jeune fille consciencieuse.

— Mais la proposition est de celles que le jeune homme pourrait très bien lui avoir faite?

Miss Morley renifla avant de répondre :

— Oui, c'est très possible.

— Et que fait-il, ce jeune homme?... Et comment s'appelle-t-il?

— Carter, Frank Carter. Il est — ou plutôt était — employé dans une compagnie d'assurances. Il a perdu son emploi il y a quelques semaines et il ne semble pas avoir été capable d'en retrouver un autre. Henry disait, et je crois avec raison, que c'est un parfait vaurien. Gladys lui avait confié une partie de ses économies et mon frère s'en était montré très contrarié.

— Votre frère, demanda Japp, a-t-il essayé de convaincre miss Nevill de rompre ses fiançailles?

— Effectivement, oui.

— Alors, ce Frank Carter pourrait très bien avoir eu quelque raison d'en vouloir à Mr Morley?

Miss Morley redressa sa haute taille de dragon :

— Si vous voulez dire par là qu'il a tué Henry, fit-elle, ça ne tient pas debout ! Mon frère avait bien mis miss Gladys en garde contre le jeune Carter, mais elle n'avait tenu aucun compte de ses avertissements. Elle est folle de son Frank.

— Voyez-vous quelqu'un d'autre qui aurait pu avoir quelque grief contre votre frère?

Miss Morley fit non de la tête.

— Il s'entendait bien avec Mr Reilly, son associé?

— Aussi bien qu'on peut s'entendre avec un Irlandais, répondit miss Morley.

— C'est-à-dire?

— Vous savez comme moi que les Irlandais ont mauvais caractère et qu'ils adorent se disputer. Mr Reilly aime discuter politique.

— C'est tout?

— C'est tout. Il y aurait beaucoup à dire contre Mr Reilly, mais, sur le plan professionnel, on ne saurait rien lui reprocher. C'est du moins ce que prétendait mon frère.

— Et contre lui, personnellement, qu'y a-t-il à dire? demanda Japp.

Miss Morley hésita un peu avant de répondre :

— Il boit, dit-elle enfin. Mais que ceci reste entre nous !

— Votre frère lui avait-il fait quelque observation à ce propos?

— Quelques allusions, pas plus ! Vous comprenez, la main d'un dentiste ne doit pas trembler et une haleine qui sent l'alcool n'inspire pas confiance.

Japp approuva du chef.

— Pouvez-vous nous renseigner sur la situation financière de votre frère? dit-il ensuite.

— Henry gagnait largement sa vie et il avait de l'argent de côté. D'autre part, notre père nous avait laissé, à lui et à moi, quelques petits revenus.

Japp toussota :

— Vous ne savez pas si votre frère a fait un testament?

— Si. Et je puis vous dire ce qu'il contient. Il laisse une centaine de livres à Gladys Nevill. Le reste me revient.

Japp allait poser une autre question, mais on frappait à la porte. Bientôt la tête du jeune Alfred se glissait dans l'entrebâillement :

— C'est miss Nevill, dit-il. Elle est revenue. Elle demande si elle peut venir...

Miss Morley, ayant consulté Japp du regard, répondit :

— Dites-lui que nous l'attendons, Alfred!

— Compris ! lança le groom avant de s'éclipser.

Miss Morley soupira et s'écria avec conviction :

— Ce gosse me rendra folle !

IV

Grande, blonde, d'apparence assez frêle, Gladys Nevill pouvait avoir vingt-huit ans. On la sentait émue, mais on devinait en elle une fille intelligente qui devait être précieuse à son employeur.

Sous prétexte de jeter un coup d'œil avec elle sur les papiers de Morley, Japp la fit descendre dans le petit bureau attenant au cabinet du dentiste.

— Je ne puis pas le croire! répétait-elle. Il me paraît invraisemblable que Mr Morley se soit tué!

Elle ajoutait qu'elle était sûre qu'il n'avait eu dans les jours précédents aucun tracas particulier, aucun souci digne de mention.

— Miss Nevill, dit Japp, vous avez été appelée en province aujourd'hui...

Elle lui coupa la parole :

— Oui ! C'était une blague et je trouve déplorable qu'il y ait des gens pour se livrer à des plaisanteries de ce genre !

— Je ne vous comprends pas !

— C'est très simple. Ma tante n'est pas malade du tout et elle ne s'est jamais mieux portée. Elle a été très surprise de me voir. Contente aussi, bien entendu !... Pour moi, j'étais furieuse ! Ce télégramme m'avait inquiétée...

— Pourriez-vous me le montrer?

— Non, car je l'ai jeté en revenant de la gare. Le texte était très court. *Votre tante a eu une attaque la nuit dernière. Venez le plus tôt possible.*

Japp s'éclaircit la voix par une toux discrète et demanda :

— Ce télégramme, vous êtes sûre que ce n'est pas votre ami, Mr Carter, qui l'a envoyé?

— Frank? Pourquoi l'aurait-il fait?... Vous pensez à un coup arrangé entre nous deux?... Non, inspecteur, ce sont des choses que nous ne ferions, ni lui ni moi !

Son indignation, qui semblait sincère, résista aux paroles apaisantes de Japp, mais elle redevint elle-même et retrouva tout son calme quand il l'interrogea sur les malades vus ce matin-là par Morley.

— Leurs noms, dit-elle, sont tous dans le livre de rendez-vous, et je suppose que vous l'avez déjà examiné. Je les connais presque tous. A dix heures, Mrs Soames. Elle venait pour son dentier. A dix heures et demie, lady Grant. C'est une dame d'un certain âge, qui habite Lowndes Square. A onze heures, M. Hercule Poirot. Il vient régulièrement... Mais vous êtes là, monsieur Poirot ! Je vous demande pardon ! Cette affaire m'a tellement bouleversée... A onze heures et demie, Mr Alistair Blunt, le banquier. Tout était prêt et Mr Morley ne devait pas le retenir longtemps... Ensuite, miss Sainsbury Seale, qui avait téléphoné pour prendre rendez-vous. Elle souffrait, paraît-il, et Mr Morley s'était arrangé pour la recevoir en fin de matinée. C'est une femme qui fait des embarras et dont les bavardages n'en finissent pas ! A midi, M. Amberiotis. C'est un nouveau malade, qui avait téléphoné du Savoy. Mr Morley avait beaucoup d'étrangers dans sa clientèle, surtout des Américains. A midi et demi, miss Kirby, qui venait spécialement de Worthing...

— A mon arrivée, dit Poirot, il y avait dans le salon d'attente un monsieur qui avait l'air d'un ancien militaire. Qui pouvait-il être?

— Sans doute un des malades de Mr Reilly. Voulez-vous que j'aille chercher son livre de rendez-vous?

— Je vous en prie !

Elle revint après une absence de quelques minutes, tenant à la main un petit registre analogue à celui de Morley.

— A dix heures, dit-elle, le consultant, Betty Heath. C'est une petite fille de neuf ans. A onze heures, le colonel Abercrombie.

— Abercrombie ! murmura Poirot. C'est bien ça !

— A onze heures trente, Mr Howard Raikes, et, à midi, Mr Barnes. C'est tout !... Mr Reilly a, naturellement, beaucoup moins à faire que n'avait Mr Morley.

— Ces malades, vous les connaissez?

— Le colonel Abercrombie vient depuis longtemps et tous les enfants de Mrs Heath sont soignés par Mr Reilly. De Mr Raikes et de Mr Barnes, je ne sais rien, bien qu'il me semble avoir entendu leurs noms. En effet, je prends les communications téléphoniques...

— Mr Reilly nous parlera d'eux. J'aimerais le voir le plus tôt possible...

Miss Nevill sortie, Japp se tourna vers Poirot.

— *A l'exception du seul Amberiotis,* dit-il, tous les malades de ce matin venaient ici depuis longtemps. J'ai idée que j'aurai avec cet Amberiotis une conversation intéressante. Il semble avoir été le dernier à voir Morley vivant et il faut que nous nous assurions que, lorsqu'il s'est retiré, Morley était *encore* vivant !

— Resterait, fit remarquer Poirot, à déterminer le mobile du crime.

— Je sais. C'est ce point-là, j'en suis sûr, qui nous causera le plus de tracas. Mais il n'est pas dit que Scotland Yard ne sache pas quelque chose de M. Amberiotis !... A quoi pensez-vous?

— Je suis en train de me demander...

— Quoi?

Un sourire passa sur le visage de Poirot :

— Pourquoi l'inspecteur-chef Japp?

— Vous dites?

— Je dis : « Pourquoi l'inspecteur-chef Japp?... » Est-ce que, maintenant, on chargerait un officier de votre grade et de votre qualité d'enquêter sur une affaire de suicide?

— En fait, expliqua Japp, c'est parce que j'étais tout près. Je m'occupais de l'affaire de fraudes découverte chez Laventham, dans Wingmore Street. C'est là qu'on m'a alerté par téléphone.

— Mais pourquoi *vous*?

— A cause d'Alistair Blunt, évidemment ! Dès qu'il a appris que Blunt s'était rendu chez Morley dans la matinée, l'inspecteur divisionnaire a prévenu Scotland Yard. Mr Blunt est de ces gens auxquels la police accorde une protection discrète...

— Parce qu'elle considère que certains ne seraient pas fâchés de les voir... supprimer?

— Exactement. Certains extrémistes de gauche, pour commencer, et aussi nos petits amis à chemise noire ! Blunt et son groupe représentent la vieille finance conservatrice et sont les plus fermes soutiens du gouvernement actuel. Il se peut que cette histoire cache quelque chose et c'est pourquoi on a voulu une enquête sérieuse...

— Je me doutais vaguement de ça, dit Poirot. Et mon opinion personnelle serait que nous sommes en présence d'une affaire où les choses n'ont pas « tourné rond ». Je croirais assez que la victime devait être Alistair Blunt. A moins que nous ne soyons au début de quelque campagne...

Il renifla de façon expressive et ajouta :

— Vous ne trouvez pas que ça sent l'argent?

— Est-ce que vous ne vous avancez pas un peu? répondit Japp.

— Peut-être ! Mais j'ai l'impression que ce pauvre Morley n'était qu'un pion sur l'échiquier. Peut-être savait-il quelque chose, peut-être a-t-il dit quelque chose à Blunt, peut-être a-t-on cru qu'il pourrait lui dire quelque chose...

Gladys Nevill revenant dans la pièce, Poirot interrompit là ses hypothèses.

— Mr Reilly, dit-elle, est très occupé pour l'instant avec une extraction. Il sera là dans dix minutes.

— Parfait ! fit Japp. Dans l'intervalle, nous allons revoir le jeune Alfred.

V

Alfred était partagé entre des sentiments divers. L'affaire, dans l'ensemble, l'amusait, mais il était nerveux et craignait qu'on ne lui reprochât tout ce qui était arrivé. Il n'était au service de Mr Morley que depuis quinze jours et il avait, en ces deux semaines, commis tant de sottises et encouru tant de justes réprimandes que sa confiance en lui l'avait totalement abandonné.

— Il était de mauvais poil, dit-il, répondant à une question de Japp, mais je n'aurais jamais cru qu'il allait se suicider !

Poirot intervint :

— Il faut nous dire, sur ce qui s'est passé ce matin, tout ce dont vous pouvez vous souvenir. Vous êtes un témoin extrêmement important et vous pouvez nous être très utile.

Le visage du jeune homme tourna au rouge écarlate, cependant que sa poitrine se gonflait. Il avait déjà donné à Japp une relation rapide des événements de la matinée. Maintenant, il allait développer. Il se rendait compte de son importance et cette constatation le réconfortait.

— Je vous dirai tout ce que je sais, répondit-il. Posez-moi des questions...

— Commençons par le commencement, dit Poirot. Avez-vous, ce matin, remarqué quoi que ce soit d'anormal?

— Non. La matinée a été comme toutes les autres.

— Est-il venu des gens étrangers à la maison?

— Non, monsieur.

— Même parmi les malades?

— Ah ! je ne pensais pas à eux ! Ils avaient tous rendez-vous, si c'est ce que vous voulez savoir. Ils étaient tous inscrits.

— Personne n'a pu s'introduire dans la maison en cachette ?

— Sûrement pas ! Il aurait fallu avoir la clé.

— En tout cas, on pouvait s'en aller sans attirer l'attention ?

— Ça, oui ! Il n'y a qu'à tourner le bouton de la porte de la rue et on s'en va. Comme je l'ai déjà dit, presque tous les malades ne demandent pas à être reconduits. Souvent, je les vois descendre l'escalier pendant que j'en conduis un autre à l'ascenseur...

— Bon... Parlez-nous des malades de ce matin... Si vous ne vous souvenez pas de leurs noms, dites-nous comment ils étaient faits !

Alfred s'accorda une minute de réflexion avant de commencer.

— Il y a d'abord eu, dit-il ensuite, une dame, avec une petite fille, qui venait pour Mr Reilly, et une Mrs Soap, ou un nom comme ça, pour Mr Morley.

— Très bien !

— Puis il y eut une vieille dame, un peu crâneuse, qui s'est amenée dans une Daimler. Au moment où elle s'en allait, il est arrivé un grand bonhomme qui ressemblait à un officier en civil et, presque tout de suite après, *vous*...

— C'est exact, dit Poirot.

— Après, il y a eu l'Américain...

— L'Américain ? demanda Japp.

— Oui, monsieur. Un jeune homme. C'était bien un Américain, ça s'entendait à son accent. Il est arrivé en avance. Il n'avait rendez-vous qu'à onze heures et demie. Et le plus fort, c'est qu'il n'a pas attendu !

— Comment ça ?

— C'est comme je vous le dis ! Je suis venu le chercher quand Mr Reilly m'a sonné, à onze heures trente — ou, plutôt, un petit peu plus tard, vers midi moins vingt — et il n'était pas là. Sans doute qu'il avait perdu patience et qu'il était parti...

— Alors, fit Poirot, il a dû sortir presque sur mes talons?

— Oui, monsieur. Quand vous êtes parti, je venais de conduire en haut un monsieur qui était arrivé en Rolls. Et, pardon, c'est une voiture qu'il a, Mr Blunt ! Il était onze heures et demie. En redescendant, je vous ai conduit à la porte et j'ai fait entrer une dame, miss Some Berry Seal, ou quelque chose comme ça ! Là-dessus, je suis allé faire un tour à la cuisine, histoire de casser la croûte, et je n'y étais pas arrivé depuis deux minutes que voilà le voyant de Mr Reilly qui se déclenche. Je regrimpe et, comme je vous l'ai dit, l'Américain s'était tiré. Je suis allé le dire à Mr Reilly... et il a juré un bon coup, comme ça lui arrive !

— Continuez, dit Poirot.

— Qu'est-ce qui s'est passé après?... Voyons un peu !... Ah ! oui !... Mr Morley a appelé... Cette fois, c'était pour miss Seal. J'ai été la chercher. Mr Blunt descendait l'escalier au moment où je montais dans l'ascenseur avec cette demoiselle Je-ne-sais-plus-trop-quoi. Quand je suis redescendu, il est arrivé deux messieurs. Il y en avait un petit, avec une voix pointue, qui venait pour Mr Reilly. L'autre, je l'avais amené à Mr Reilly tout de suite après son arrivée.

— Et, demanda Japp, cet étranger, M. Amberiotis, vous ne l'avez pas vu partir?

— Non, monsieur. Il est sorti tout seul, sûrement ! Comme l'autre monsieur, que je n'ai pas vu sortir non plus...

— A partir de midi, où étiez-vous?

— Assis dans l'ascenseur, monsieur. C'est là que j'attends qu'on sonne à l'entrée ou qu'on m'appelle avec les voyants !

— Et je suppose, dit Poirot, que vous étiez en train de lire?

Alfred rougit.

— Il n'y a pas de mal à ça ! répondit-il. C'est pas comme si je pouvais faire autre chose !

— Evidemment, fit Poirot. Et que lisiez-vous?

— Un policier américain, monsieur ! *La mort arrive à 11 heures 45*. Un truc épatant ! C'est plein de gangsters...

Poirot sourit et posa une nouvelle question :

— D'où vous étiez, si l'on avait fermé la porte d'entrée, auriez-vous entendu?

— Si quelqu'un était sorti?... Ça, je ne crois pas ! Je l'aurais peut-être entendu, mais *sans y prendre garde !* Vous comprenez, l'ascenseur est tout au fond du hall, là où le couloir commence à tourner. C'est là que se trouvent la sonnette de l'entrée et les voyants !

— Ensuite? demanda Japp.

Alfred fronça le front, dans un dernier effort pour rappeler ses souvenirs.

— Il ne reste plus, dit-il, que la dernière dame, miss Shirty. Je guettais le voyant de Mr Morley, il ne se mettait toujours pas au blanc, et j'aime autant vous dire que, vers une heure, la dame, qui attendait toujours, commençait à devenir mauvaise !

— Vous n'avez pas eu l'idée de monter pour demander à Mr Morley s'il ne l'avait pas oubliée?

Alfred marqua par de vigoureux signes de tête que l'initiative eût comporté des risques.

— Vous pensez que je m'en suis bien gardé !

s'écria-t-il. D'abord, l'autre monsieur devait toujours être là-haut. Et, ensuite, je devais attendre que le patron m'appelle. Bien sûr, si j'avais su qu'il s'était suicidé..

Il hocha la tête tristement.

— Le voyant, dit Poirot, se déclenchait-il avant ou après le départ des malades?

— Ça dépendait ! Le plus souvent, le malade était en train de descendre l'escalier quand la sonnerie se déclenchait. Quand il avait demandé l'ascenseur, la plupart du temps, elle se mettait en branle pendant la descente. Mais tout ça variait. Souvent, Mr Morley attendait deux ou trois minutes avant de réclamer le malade suivant, mais, quand il était pressé, l'autre n'était pas sorti du cabinet qu'il me sonnait déjà...

Il y eut un silence, puis Poirot demanda au jeune groom si la mort de son patron l'avait étonné.

— Vous pouvez dire que j'en suis resté sur le derrière, répondit Alfred. Autant qu'il me semble, il n'avait vraiment aucune raison de se détruire !

Une idée, tout d'un coup, le frappait. Roulant des yeux ronds, il ajouta :

— Ce n'est pas, des fois, *qu'on l'aurait tué*?

Poirot répondit, sans laisser à Japp le temps de parler :

— Ça vous surprendrait?

— Ma foi, monsieur, je ne sais pas trop ! Je ne vois pas qui aurait pu avoir envie de tuer Mr Morley. C'était un type très... très *ordinaire*. Vous croyez vraiment qu'on l'a assassiné?

— Nous devons, dit gravement Poirot, envisager toutes les possibilités et c'est pourquoi je vous signalais tout à l'heure que vous êtes un témoin très important et que vous devez vous efforcer de vous rappeler très exactement tout ce qui s'est passé ce matin.

Le visage tendu du jeune homme proclamait sa bonne volonté.

— Vraiment, fit-il enfin, je ne vois rien d'autre !

Le ton était lugubre.

— Je vous remercie, Alfred. Vous êtes bien sûr que, les malades exceptés, personne n'est venu dans la maison ce matin?

— Aucun étranger, monsieur, j'en suis sûr ! Naturellement, je ne parle pas de l'ami de miss Nevill, qui est passé et qui a plutôt fait du foin quand il a vu qu'elle n'était pas là...

— A quel moment est-il venu? demanda Japp, vivement.

— Un peu après midi. Quand je lui ai appris que miss Nevill était absente pour la journée, il a eu l'air stupéfait et il a dit qu'il allait attendre pour voir Mr Morley. Je lui ai répondu que le patron serait occupé jusqu'à l'heure du déjeuner, mais il a dit : « Ça ne fait rien ! J'attendrai. »

La question laissait le jeune Alfred stupéfait :

— Zut ! s'écria-t-il. Je n'y pensais pas ! Il est entré dans le salon d'attente, mais *il n'y était plus quand j'y suis retourné* ! Il a dû en avoir assez d'attendre et sans doute qu'il est parti en se disant qu'il reviendrait plus tard.

VI

— Croyez-vous que vous avez bien fait de parler de la possibilité d'un meurtre devant ce gamin? demanda Japp à Poirot, après le départ d'Alfred.

— Je le pense, répondit Poirot. Cette idée-là agira sur sa mémoire à la manière d'un stimulant et des choses qu'il peut avoir vues ou entendues lui reviendront peut-être à l'esprit. D'autre part, il ouvrira l'œil sur ce qu'il peut se passer dans la maison...

— Je le veux bien, admit Japp. Tout de même, il n'est pas souhaitable qu'on parle de crime trop tôt...

— L'opinion d'Alfred, mon cher ami, ne compte pour personne ! Il lit des romans policiers, il ne songe qu'aux crimes et aux criminels et tout ce qu'il pourra dire sera mis sur le compte de son imagination déréglée...

— Vous avez peut-être raison, déclara Japp. Allons voir Reilly. Il se peut qu'il ait quelque chose à nous dire...

Situé au premier étage, le cabinet de Mr Reilly était aussi vaste que celui de Morley, mais moins bien éclairé et meublé de façon moins luxueuse.

L'associé de Mr Morley était un grand jeune homme brun. Une mèche de cheveux tombait sur son front. Il avait l'œil vif et la voix agréable.

— Nous espérons, monsieur Reilly, déclara Japp, les présentations faites, que vous pourrez jeter quelque lumière sur cette affaire !

— J'ai bien peur de vous décevoir, répondit Reilly. La seule chose que je puisse dire, c'est que le suicide de Henry Morley est une chose inconcevable ! Le mien aurait été explicable, le sien ne l'est pas !

— Vous auriez des raisons de vous tuer? demanda Poirot.

— Oui, car ce ne sont pas les empoisonnements qui me manquent ! A commencer par les ennuis d'argent ! Je ne suis jamais parvenu à ajuster mes dépenses et mes revenus. Morley, lui, était un homme qui savait s'arranger. Sa situation financière était excellente ! Vous ne lui trouverez pas de dettes, vous verrez !

— Des chagrins d'amour, peut-être? suggéra Japp.

— Morley, jamais de la vie! Il ne savait pas profiter de l'existence. Il était, le pauvre, sous la coupe de sa sœur!

Japp pria Reilly de lui parler des malades qu'il avait vus dans la matinée.

— Tous sont des gens très bien, répondit Reilly. La petite Betty Heath est une enfant charmante, dont j'ai soigné toute la famille. Le colonel Abercrombie est, lui aussi, une de mes vieilles connaissances...

— Et Mr Howard Raikes?

Reilly fit la grimace :

— Celui qui n'a pas eu la patience d'attendre? Celui-là, je n'avais jamais entendu parler de lui auparavant et je ne sais rien de lui. Il avait pris rendez-vous par téléphone, insistant pour être reçu ce matin.

— D'où vous avait-il appelé?

— Du Holborn Palace Hotel. Je crois que c'est un Américain.

— C'est l'opinion du jeune Alfred.

— Il doit le savoir! Il est tout le temps fourré au cinéma!

— L'autre malade était Mr Barnes, n'est-ce pas?

— Oui. C'est un petit homme méticuleux qui m'amuse beaucoup. Un fonctionnaire retraité, qui vit du côté d'Ealing.

Japp demanda à Reilly ce qu'il pensait de miss Nevill. Le dentiste sourit.

— La blonde et jolie secrétaire? dit-il. Vous perdez votre temps si vous cherchez de ce côté-là! Ses relations avec Morley étaient d'une irréprochable correction, j'en ai la certitude!

— Mais, répliqua Japp, les joues un peu roses, je n'ai jamais prétendu le contraire !

Reilly s'excusa.

— Je pensais, expliqua-t-il, que vous songiez au vieil adage français : « Cherchez la femme ! »

Il avait prononcé les trois mots en français.

— Vous me pardonnerez, monsieur Poirot, ajouta-t-il, de m'exprimer dans votre langue. J'ai un bon accent, n'est-ce pas? Je le dois aux religieux qui m'ont élevé...

Japp, que ce badinage commençait à agacer, y mit fin par une question, posée d'un ton assez sec :

— Connaissez-vous le fiancé de miss Nevill? Un certain Frank Carter, si je ne m'abuse...

— Morley ne pensait pas grand bien de lui, répondit Reilly. Il avait conseillé à miss Nevill de ne plus le voir.

— Il est à croire que Carter a pris assez mal cette intervention?

— C'est très probable !

Souriant toujours, Reilly ajouta, après un silence :

— Je vous demande pardon, mais est-ce que vous enquêtez sur un suicide ou sur un meurtre?

La réplique de Japp arriva immédiatement :

— Si c'était un assassinat, lui trouveriez-vous une explication?

— Certainement pas ! s'exclama Reilly avec bonne humeur. Il ne me déplairait pas que l'assassin fût Georgina, qui est une femelle triste, hantée par l'idée que tout le monde boit trop, mais il y a chez elle trop de bons sentiments pour que l'hypothèse puisse être retenue. Evidemment, j'aurais pu grimper à son cabinet et abattre Morley, mais je ne l'ai pas fait. et je ne peux pas imaginer quelqu'un désirant le tuer.

Il est vrai que je ne peux pas me faire non plus à l'idée qu'il s'est donné la mort !

Sur un ton très différent, il ajouta :

— En réalité, sa fin me fait beaucoup de peine. Ne me jugez pas sur les apparences. Je suis un peu nerveux... Au fond, j'aimais bien Morley, et il me manquera !

VII

Japp posa le récepteur téléphonique sur son crochet et tourna vers Poirot un visage navré.

— M. Amberiotis, dit-il, ne se sent pas bien. Il préférerait ne voir personne cet après-midi.

Il ajouta presque aussitôt :

« Eh bien ! il me verra tout de même !... Et il aurait tort de se figurer qu'il pourra me glisser entre les doigts. J'ai un homme au Savoy, qui le prendra en filature s'il essaie de nous jouer la pièce !

— Vous croyez qu'il a tué Morley?

— Je n'en sais rien. *Mais il est le dernier à l'avoir vu vivant* et il n'était jamais venu chez lui auparavant. D'après ce qu'il raconte, il a quitté Morley à midi vingt-cinq. Morley était vivant, dit-il, et apparemment en bonne santé. Il se peut que ce soit vrai et le contraire est possible aussi. Si, à ce moment-là, Morley se portait bien, il nous faut établir ce qui s'est passé ensuite. *Il restait cinq minutes à courir avant le rendez-vous suivant.* Durant ces cinq minutes, quelqu'un est-il venu le voir? Carter ou Reilly, par exemple? C'est à examiner. De très près, car la réponse nous permettra ou non d'affirmer qu'à midi et demi, ou *au plus tard à une heure moins vingt-cinq, Morley était mort.* Ce que je crois. Sinon, il aurait alerté Alfred par le voyant, soit pour faire monter miss Kirby, soit pour lui faire dire qu'il ne pouvait la recevoir. Non, ou on l'avait assassiné, ou quelqu'un lui avait dit quelque chose qui l'a décidé à se tuer !

Il jeta un coup d'œil sur sa montre et poursuivit :

— Je vais voir toutes les personnes avec qui Morley avait rendez-vous ce matin. Il est possible qu'il ait dit à l'une d'elles une phrase qui nous mettra sur la bonne piste. Alistair Blunt m'a fait savoir qu'il pourrait m'accorder quelques minutes à quatre heures et quart. Nous commencerons par lui. Ensuite, nous pourrions voir cette miss Sainsbury Seale, puis Amberiotis, que je ne veux entreprendre que lorsque j'aurai déjà réuni quelques indications. Nous terminerons par cet Américain qui, d'après ce que vous dites, a une figure d'assassin.

Poirot sourit et rectifia :

— Réflexion faite, il avait surtout la figure d'un monsieur qui a mal aux dents !

— Assassin ou martyr, répliqua Japp, Mr Raikes m'intéresse. Sa conduite a été singulière, c'est le moins qu'on puisse dire !... D'ailleurs, j'entends bien me renseigner aussi sur le télégramme reçu par miss Nevill, sur la tante, sur le fiancé; bref, sur tout et sur tout le monde.

VIII

Alistair Blunt était peu connu du grand public. Un peu parce qu'il menait une vie calme et retirée, mais surtout parce que, pendant de nombreuses années, il avait été un prince consort plutôt qu'un souverain.

Rebecca Sanseverato, née Arnholt, lorsqu'elle était arrivée à Londres, était une femme de quarante-cinq ans, que la vie avait cruellement déçue. Elle appartenait à l'aristocratie de l'Argent. Sa mère était une Rotherstein, son père dirigeait la banque qui portait son nom, l'une des plus puissantes des Etats-Unis. Ses deux frères et un sien cousin ayant trouvé la mort dans un accident d'aviation, Rebecca avait hérité seule d'une immense fortune. Elle avait peu après épousé un des plus grands noms d'Europe, le prince Felipe di Sanseverato, un coquin titré dont l'inconduite était notoire et qui devait la rendre très malheureuse. Un divorce intervenait dès la troisième année de leur mariage.

Rebecca avait obtenu la garde de la petite fille née de leur union. L'enfant mourut. La jeune femme décida alors de se consacrer aux affaires. Elle avait la finance dans le sang. Elle s'associa à son père et, à sa mort, prit effectivement sa succession à la tête du réseau de « holdings » sur lequel il régnait de son vivant. Elle vint à Londres et reçut, au Claridge où elle résidait, un des jeunes associés de la Banque de Londres, qui devait lui soumettre divers documents. Six mois plus tard, le monde apprenait avec stupeur que Rebecca Sanseverato épousait Alistair Blunt, un homme qui avait quelque vingt ans de moins qu'elle.

Il y eut les plaisanteries qu'on devine. Ses amies ne manquèrent pas de proclamer que Rebecca perdait complètement la tête dès qu'elle était amoureuse. Elle l'avait prouvé une première fois avec Sanseverato, elle recommençait avec le jeune Blunt. Il n'en avait, c'était sûr, qu'à son argent et elle allait vers une nouvelle catastrophe.

Il n'en fut rien. A la surprise générale, Rebecca fut heureuse avec son second mari. Les gens qui avaient annoncé que Blunt dilapiderait la fortune de sa femme se trompaient. Il aimait Rebecca et lui était fidèle. Dix ans après la mort de son épouse, il ne s'était pas encore remarié. Son génie des affaires n'était pas moindre que celui de la disparue. Il ne se trompait jamais dans ses jugements, non plus que dans ses prévisions, son intégrité était proverbiale et c'est avec une extraordinaire habileté qu'il administrait les intérêts colossaux que représentaient les groupes Arnholt et Rotherstein.

Il allait peu dans le monde et vivait simplement, ne quittant guère sa résidence de Londres, un magnifique hôtel situé sur le Chelsea Embankment, que pour aller passer quelques jours en compagnie de quelques amis dans une maison de campagne, tantôt dans le Kent, tantôt dans le Norfolk. Il aimait le golf, jouant d'ailleurs assez mal, et s'intéressait à l'art des jardins.

L'inspecteur-chef Japp et Hercule Poirot furent introduits dans un salon luxueux et confortable, où Alistair Blunt vint les rejoindre presque aussitôt.

Japp présenta son compagnon.

— Je vous connais de réputation, monsieur Poirot, dit Blunt, mais il me semble aussi que je vous ai vu quelque part, il n'y a pas très longtemps.

— Ne cherchez pas ! répondit Poirot. C'est ce matin, dans le salon d'attente de ce pauvre Morley !

— En effet ! s'écria Blunt. Je savais bien que je vous avais rencontré.

Il se tourna vers Japp.

— En quoi puis-je vous être utile? demanda-t-il. J'ai été navré d'apprendre la mort de Morley.

— Et surpris?

— Très surpris ! Certes, je le connaissais peu, mais il ne me paraissait pas homme à se tuer !

— Ce matin, vous l'avez trouvé bien portant et de bonne humeur?

— Mon Dieu, oui!

Avec un sourire, Alistair Blunt ajouta :

— S'il faut vous dire toute la vérité, je dois vous avouer que j'ai une peur horrible du dentiste et de cette odieuse petite fraise qu'il vous promène au fond des dents. Aussi, quand j'entre dans son cabinet, je ne fais pas attention à grand-chose. Quand c'est fini, lorsque je vais me retirer, c'est différent! Non, je vous le répète, Morley était ce matin comme il était toujours. Aimable et pressé...

— Vous l'aviez vu souvent auparavant?

— C'était ma troisième ou quatrième visite. Jusqu'à l'an dernier, je n'avais pas eu d'ennuis avec mes dents.

— Qui vous a recommandé Mr Morley? demanda Poirot.

Blunt, sourcils froncés, faisait un effort de mémoire.

— Voyons... J'avais une dent qui me tracassait et je me souviens fort bien de quelqu'un me disant que Morley, de Queen Charlotte Street, était un dentiste remarquable. Seulement, je serais bien incapable de dire qui... Je regrette!

— Si le nom de cette personne vous revenait, dit Poirot, voudriez-vous être assez aimable pour nous le faire connaître?

Alistair Blunt regarda Poirot d'un air surpris.

— Je n'y manquerai pas, répondit-il. Ce détail présenterait un intérêt?

— Peut-être, fit Poirot. J'ai idée qu'il pourrait être très important!

Japp et Poirot, quittant la demeure du financier, descendaient les marches du perron quand une automobile s'arrêta au bord du trottoir. C'était une voiture « grand sport », conduite par une jeune femme qui dut, pour s'extraire de son poste de pilotage, se livrer à une laborieuse et méritoire gymnastique. Les deux hommes s'éloignaient déjà quand elle fut enfin dégagée de sa coquille. Elle les appela d'un : « Hep ! » retentissant.

N'imaginant pas que c'était à eux qu'elle pouvait s'adresser, ils continuaient leur chemin. Elle appela de nouveau.

Cette fois, ils s'arrêtèrent et se retournèrent. La jeune fille venait vers eux. Grande, mince, toute en bras et en jambes, les cheveux bruns et la peau dorée par le soleil, elle avait un visage sans beauté, mais intelligent et énergique.

— Je vous connais, dit-elle, s'adressant à Poirot. Vous êtes Hercule Poirot, le détective.

Sa voix était grave et chaude, avec une pointe d'accent américain.

Poirot s'inclina courtoisement et, répondant à l'interrogation muette de la jeune fille, présenta l'inspecteur.

Elle ouvrit de grands yeux, où Poirot crut discerner une lueur apeurée, et, d'une voix oppressée, demanda :

— Qu'est-ce que vous êtes venus faire ici?... J'espère... qu'il n'est rien arrivé à l'oncle Alistair?

— Pourquoi pensez-vous qu'il pourrait lui être arrivé quelque chose? dit vivement Poirot.

— Il ne lui est rien arrivé? Alors, tout va bien!

Japp reprit à son compte la question de Poirot :

— Pourquoi, miss?...

Elle dit, presque mécaniquement :

— Olivera, Jane Olivera...

— Pourquoi, miss Olivera, pensez-vous qu'il pourrait être arrivé quelque chose à Mr Blunt?

Elle rit, d'un rire qui sonnait faux, et répondit :

— Quand on rencontre des policiers sur le seuil d'une maison, malgré soi on se dit qu'il y a des bombes dans le grenier !... C'est mon oncle qui vous a fait appeler?

La question s'adressait à Poirot, mais ce fut Japp qui répondit :

— Non. *C'est nous qui avons voulu le voir.* A propos d'un suicide qui a eu lieu ce matin.

— Un suicide?

— Oui. Celui de Mr Morley, dentiste, 58, Queen Charlotte Street.

— Oh !

Elle avait pâli. Elle resta quelques secondes immobile, regardant droit devant elle, le front soucieux, puis elle dit, de façon assez inattendue :

— Mais c'est stupide !

Sur quoi, tournant brusquement les talons, elle s'éloigna sans plus de cérémonie, escaladant le perron en courant et rentrant dans la maison, dont elle avait la clé.

Japp, très étonné, regardait cette retraite qui ressemblait à une fuite.

— Curieuse réflexion, dit-il enfin.

— Curieuse, fit Poirot, mais aussi intéressante.

Japp s'ébroua, regarda sa montre et héla un taxi qui passait.

IX

Dans le hall doucement éclairé du Glengowrie Court Hotel, miss Sainsbury Seale prenait son thé.

L'arrivée d'un officier de police en uniforme l'agita

quelque peu, sans d'ailleurs lui déplaire. Poirot remarqua avec chagrin que la boucle de son soulier était toujours absente.

— Vraiment, monsieur l'officier, dit-elle d'une voix flûtée tout en promenant les yeux autour d'elle, je ne sais où nous pourrions nous installer pour être tranquilles! C'est l'heure du thé, n'est-ce pas? Au fait, voulez-vous me permettre de vous offrir une tasse de thé, à vous et à... votre ami?

— Non, merci, madame, dit Japp. Je vous présente M. Hercule Poirot.

— Vraiment, vous ne voulez pas accepter une tasse de thé? Alors, nous pourrions peut-être nous caser dans le salon, quoiqu'il y ait souvent beaucoup de monde à cette heure-ci... Tenez, là-bas, dans ce petit coin. Les gens s'en vont...

L'endroit, un petit quadrilatère en retrait, semblait relativement calme. Passant devant eux, elle leur montra le chemin. En route, Poirot ramassa une écharpe et un mouchoir qu'elle avait laissé tomber et qu'il lui remit comme elle s'asseyait.

— Merci, dit-elle, et excusez-moi! Je suis tellement désordre! Et maintenant, inspecteur — ou, plutôt, inspecteur-chef, c'est bien ça? — je vous en prie, posez-moi les questions que vous voudrez! Cette affaire est tellement lamentable! Ce pauvre Mr Morley! Je suppose que quelque chose le tourmentait! Nous vivons des temps si difficiles!

— Ce matin, miss Sainsbury Seale, lui avez-vous trouvé l'air préoccupé?

Elle réfléchit un moment.

— Mon Dieu, dit-elle enfin, je ne saurais l'affirmer! Seulement, étant donné les circonstances, je crois bien que j'étais incapable de remarquer quoi que ce fût ! Je ne suis jamais très brillante quand j'entre dans un cabinet de dentiste !

Elle gloussa et, minaudant, tapota de la main ses boucles, dont Poirot venait de remarquer *in petto* qu'elles ressemblaient à des nids d'oiseaux.

— Pouvez-vous dire, demanda Japp, quelles étaient les personnes qui se trouvaient avec vous dans le salon d'attente?

— Voyons... Quand je suis arrivée, il n'y avait là qu'un jeune homme. Il devait souffrir terriblement, car il murmurait je ne sais quoi entre ses dents. Il avait l'air de se contenir avec peine et tournait d'un doigt nerveux les pages d'une revue qu'il paraissait incapable de lire. Tout à coup, il s'est levé d'un bond et il est sorti. Oui, il devait avoir vraiment mal !

— Savez-vous où il est allé? A-t-il quitté la maison?

— Je n'en ai aucune idée. Je pense qu'il s'est dit qu'il ne pouvait attendre plus longtemps et qu'il lui fallait absolument voir le dentiste tout de suite. Mais ce n'est pas Mr Morley qu'il est allé trouver, car il n'y avait que quelques minutes qu'il était parti quand le groom est venu me chercher pour me conduire au cabinet de Mr Morley.

— Etes-vous retournée au salon d'attente avant de vous en aller?

— Non. J'avais arrangé mes cheveux et remis mon chapeau dans le cabinet même de Mr Morley. Je sais qu'il y a des dames qui laissent leur chapeau dans le salon d'attente, mais je ne le fais jamais. Une de mes amies, qui a cette fâcheuse habitude, a retrouvé un jour son chapeau dans un état lamentable. Quelqu'un, un enfant sans doute, s'était assis dessus. Et c'était un chapeau neuf !

— Une véritable catastrophe, dit Poirot, poliment.

— C'est la mère qui est à blâmer, reprit miss Sainsbury Seale. Il faut surveiller les enfants. Ils n'ont pas de mauvaises intentions. Seulement, si on ne fait pas attention à ce qu'ils font...

Japp ramena la conversation sur le sujet qui l'intéressait.

— Ce jeune homme qui souffrait, demanda-t-il, est le seul malade que vous ayez remarqué au cours de votre visite?

— Oui. Excepté un monsieur qui descendait les marches du perron, juste comme j'arrivais. Il s'en allait. C'était un monsieur d'allure assez bizarre, qui avait l'air d'un étranger...

Japp toussota.

— C'était moi, dit Poirot avec beaucoup de dignité.

— Mon Dieu! s'exclama miss Sainsbury Seale, dévisageant le petit homme. Pardonnez-moi! Je suis tellement myope et il fait si sombre dans ce rez-de-chaussée! J'ai une excellente mémoire des physionomies, mais il faut avouer qu'ici on n'y voit goutte! Ne m'en veuillez pas, je vous en prie!

Poirot ayant rassuré miss Sainsbury Seale, Japp y alla d'une nouvelle question.

— Vous êtes sûre, miss, que Mr Morley n'a pas fait allusion devant vous à un entretien ennuyeux qu'il devait avoir dans la matinée?

— Absolument sûre.

— Il ne vous a pas parlé d'un malade du nom d'Amberiotis?

— Non. En fait, il n'a dit que les mots que les dentistes sont obligés de prononcer quand ils s'occupent de vous.

Ces petites phrases, Poirot les entendait : « Rincez-vous la bouche, s'il vous plaît! Ouvrez un peu plus, je vous prie!... Je ne vous fais pas mal? »

Japp, cependant, informait miss Sainsbury Seale qu'il lui faudrait sans doute déposer à l'enquête. Elle parut se faire rapidement à cette idée qui l'avait tout d'abord épouvantée. Une question de Japp l'amena ensuite à raconter l'histoire de sa vie.

Rentrée des Indes six mois plus tôt, après avoir séjourné dans divers hôtels et essayé plusieurs pensions, elle s'était fixée au Glengowrie Court, dont l'atmosphère familiale lui plaisait. Aux Indes, elle avait surtout vécu à Calcutta, travaillant pour des œuvres missionnaires et donnant aussi des leçons de diction.

— Parler un anglais très pur et articuler de façon irréprochable, expliquait-elle, se rengorgeant, c'est à mes yeux une chose essentielle. Je dois dire que, jeune fille, je faisais du théâtre. Je ne tenais que de petits rôles sur des scènes de province, mais j'avais de grandes ambitions. Je voulais jouer le répertoire. Finalement, j'ai entrepris le tour du monde : Shakespeare, Bernard Shaw...

Après un soupir étudié, elle poursuivit :

— Le malheur, avec nous autres, pauvres femmes, c'est *le cœur*! Nous sommes à sa merci. Je me suis mariée sur un coup de tête. Nous nous sommes séparés presque immédiatement. J'avais été cruellement déçue. J'ai repris mon nom de jeune fille et c'est alors que, grâce à des capitaux qu'une amitié m'avait procurés, j'ai ouvert mon cours de diction. J'ai puissamment contribué à la création d'une excellente compagnie de comédiens amateurs. Il faut que je vous montre mes notices...

Japp connaissait le danger. Il annonça son départ.

Comme il prenait congé, miss Sainsbury Seale attira son attention sur un dernier point.

— Si, par hasard, mon nom devait paraître dans les journaux, comme celui d'un témoin, par exemple, voudriez-vous vous assurer qu'il est correctement orthographié, Mabelle Sainsbury Seale, Mabelle, deux L, E, et Seale, S, E, A, L ,E... Naturellement, si cela les intéresse de rappeler que j'ai paru dans *Comme il vous plaira* sur la scène de l'Oxford Repertory Theatre...

Japp dut chercher un refuge dans la fuite.

Dans le taxi, il poussa un soupir de soulagement et s'épongea le front.

— Si c'est nécessaire, déclara-t-il, il ne nous sera pas difficile de vérifier ses dires. A moins qu'elle ne nous ait raconté des histoires d'un bout à l'autre, ce que je ne crois pas...

— Les gens qui mentent, ajouta Poirot, ne donnent pas tant de détails et leurs récits se tiennent mieux.

— Je craignais qu'elle ne refusât de venir à l'enquête, reprit Japp. Généralement, les vieilles filles ont horreur de ce genre d'exhibitions. Mais le fait qu'elle a joué la comédie autrefois l'a décidée à accepter presque sans hésitation. Etre un peu la vedette quelque part, c'est une tentation à quoi elle ne saurait résister !

— Vous croyez vraiment avoir besoin d'elle à l'enquête?

— Je ne sais pas encore. Ça dépendra. En tout cas, j'en suis plus que jamais convaincu, Poirot, *il ne s'agit pas d'un suicide.*

— Et le mobile !

— Aucune idée pour le moment. Qui sait si Morley n'avait pas autrefois séduit la fille d'Amberiotis?

Poirot essaya de se représenter Morley jouant les princes charmants auprès d'une jolie fille grecque aux grands yeux langoureux. Le tableau manquait de vraisemblance et Poirot rappela à Japp que Reilly leur avait dit que son associé ne savait pas profiter des joies de l'existence.

— Je sais, fit Japp. Mais, au cours d'une croisière, tout peut arriver ! D'ailleurs, nous saurons un peu mieux où nous en sommes quand nous aurons bavardé avec le citoyen Amberiotis.

Au Savoy, le préposé à la réception dévisagea Japp de façon assez singulière lorsque le policier lui eut demandé de bien vouloir l'annoncer à M. Amberiotis.

— Je regrette beaucoup, monsieur, dit-il, mais je crains que vous ne puissiez voir M. Amberiotis.

— En quoi vous vous trompez lourdement ! répliqua Japp d'un ton sec.

En même temps, entrouvrant son portefeuille, il laissait entrevoir à l'employé une pièce attestant de sa qualité.

— Vous ne m'avez pas compris, monsieur, reprit l'homme. *M. Amberiotis est mort il y a une demi-heure.*

Pour Hercule Poirot ce fut comme si une porte se fermait.

Doucement, mais de façon définitive.

CHAPITRE III

CINQ, SIX, JE RAMASSE DES BOUTS DE BOIS...

I

Vingt-quatre heures plus tard, Japp appelait Poirot au téléphone. Sa voix était amère.

— Faillite sur toute la ligne ! dit-il.

— Comment ça?

— Morley s'est bel et bien suicidé. Nous savons pourquoi.

— Pourquoi?

— On vient de me remettre le rapport du médecin sur la mort d'Amberiotis. Je laisse le jargon médical de côté. En langue vulgaire, nous dirons qu'il est mort des suites de l'injection d'une dose excessive d'adrénaline et de procaïne. Son cœur n'a pas résisté et quand le pauvre type disait hier après-midi qu'il ne se sentait pas bien, il ne mentait pas. Avec ça, tout s'explique ! L'anesthésique dont les dentistes se servent pour les insensibilisations locales est à base d'adrénaline et de procaïne. Morley s'est trompé dans ses doses, s'est rendu compte de son erreur, après le départ d'Amberiotis, et, par peur du scandale, il s'est tué !

— Avec un revolver qu'on ne lui connaissait pas?

— Ce revolver, il pouvait très bien l'avoir depuis longtemps sans l'avoir dit à personne. Nous ne racontons pas toujours tout aux gens avec lesquels nous vivons ! Si je vous disais ce qu'on leur cache quelquefois, vous seriez stupéfait !

— C'est juste, admit Poirot.

— Quoi qu'il en soit, reprit Japp, voilà l'affaire classée. Tout s'explique fort logiquement...

— Je ne vous cacherai pas, mon cher ami, répliqua Poirot, que cette explication est loin de me donner entière satisfaction. Il est vrai que l'on a vu des malades réagir de façon très inattendue à ces anesthésies locales, il est exact que, dans certains cas, l'adrénaline en combinaison avec la procaïne a pu produire des effets toxiques. Question de tempéraments. Mais dentistes et médecins ne poussent généralement pas la conscience professionnelle jusqu'à se tuer quand il arrive quelque accident à leurs malades !

— D'accord ! dit Japp. Seulement, distinguons ! Quand l'anesthésique a été administré à dose normale, on ne peut rien reprocher au médecin, qui ne pouvait prévoir la réaction particulière de son malade. Mais, dans le cas qui nous occupe, la faute professionnelle est évidente. Je n'ai pas encore les chiffres, parce que ces analyses quantitatives prennent un temps infini, mais je puis vous affirmer que la dose était très supérieure à la normale. Morley avait commis une erreur énorme !

— Mais, objecta Poirot, ce n'était qu'*une erreur*, ce n'était pas un crime !

— C'est juste ! Mais il y a des erreurs qui vous ruinent. Professionnellement, Morley était coulé. Vous n'auriez plus trouvé personne pour aller se confier à un dentiste capable de vous injecter une dose mortelle de poison, encore qu'il soit permis à tout le monde d'avoir un moment de distraction !

— Je reconnais qu'une erreur de ce genre est terriblement fâcheuse.

— Notez que ce sont de ces choses qui arrivent. Des médecins, des pharmaciens, qui ne se sont jamais trompés pendant des années et des années, ont un jour une seconde d'inattention et c'est la catastrophe ! Et il faut qu'ils en supportent les conséquences ! Morley était un sensible. Quand il lui arrive une affaire comme celle-là, un médecin a généralement, pour encourir les reproches en même temps que lui, un pharmacien ou un infirmier. Morley, lui, était seul responsable.

Poirot n'était pas encore convaincu.

— Ne croyez-vous pas, dit-il, qu'il aurait laissé derrière lui quelque message? Ne serait-ce que pour expliquer son erreur et déclarer qu'il ne voulait pas survivre à l'homme qu'il avait tué involontairement? Il me semble qu'il aurait pu griffonner un mot pour sa sœur...

— Si les choses se sont passées comme je l'imagine, répondit Japp, il est normal qu'il n'en ait rien fait. Il s'est rendu compte tout à coup de ce qui était arrivé, il a perdu son sang-froid et, sans plus réfléchir, il s'est tué !

Poirot se taisant, Japp poursuivit :

« Je vous connais, mon vieux ! Quand vous vous êtes mis dans le crâne que vous êtes en présence d'un crime, vous ne voulez pas en démordre et il faut que ce soit un crime ! Je reconnais que, cette fois, c'est moi qui vous ai lancé sur le sentier de la guerre. Je me trompais, j'en fais l'aveu humblement !

— Je persiste à croire, dit Poirot, qu'il y a une autre explication.

— Il y en a même beaucoup, je n'en doute pas, répliqua Japp, et j'ai pensé à plusieurs. Mais toutes me paraissent fantastiques. On peut supposer que c'est Amberiotis qui a tué Morley, qu'il est rentré chez lui et que, pris de remords, il s'est suicidé. Si vous croyez ça possible, *moi,* je ne suis fichtrement pas de cet avis ! Scotland Yard m'a communiqué les renseignements qu'il possède sur Amberiotis. Très intéressants. C'était un petit hôtelier grec qui, après avoir fait un peu de politique dans son pays, s'était mis à faire de l'espionnage en Allemagne et en France. Le métier ne l'enrichissait pas assez vite à son gré et on suppose qu'il a tâté du chantage. C'était, dans l'ensemble, un assez vilain monsieur. Il était aux Indes l'an dernier et on croit que, là-bas il a soutiré des sommes considérables à un prince indigène. Seulement, le bonhomme était malin et on n'a rien pu prouver contre lui. Si vous voulez une autre hypothèse, j'en ai une en réserve ! Amberiotis tient Morley d'une façon ou d'une autre et le fait chanter. Morley, l'occasion s'offrant à lui, lui injecte dans les gencives une dose massive d'adrénaline et de procaïne. Il compte que la mort de son ennemi passera pour un accident malheureux. Amberiotis parti, il a des remords et se tue. C'est, là encore, une théorie possible, encore que, pour ma part, j'aie beaucoup de peine à voir Morley dans le rôle d'un assassin. Pour moi, je vous le répète, la seule explication valable est celle que je vous ai dite : Morley, accablé de travail, a commis une erreur. C'est dans ce sens que nous allons conclure. J'ai parlé de l'affaire avec le commissaire principal et il est catégorique...

— Très bien, dit Poirot avec un soupir. Très bien...

— Je comprends votre sentiment, conclut gentiment Japp. Mais vous ne pouvez pas avoir un beau crime toutes les fois! Je vous dis : « A très bientôt! » et je m'excuse encore en reprenant à mon compte la phrase classique : « Pardonnez-moi de vous avoir dérangé! »... Au revoir, mon cher Poirot!

Il raccrocha là-dessus.

II

Hercule Poirot était assis devant son bureau. Un bureau moderne. En matière d'ameublement, Poirot aimait le moderne, à cause de ses lignes sobres et nettes, qu'il préférait aux courbes, si gracieuses fussent-elles, de l'ancien.

Il y avait devant lui une feuille de papier carrée sur laquelle, sous des rubriques nettement séparées, il avait jeté quelques notes.

D'abord, celle-ci :

Amberiotis. Espionnage. Pourquoi était-il en Angleterre? Aux Indes, l'an dernier. Durant une période de troubles et d'agitation. Etait peut-être un agent révolutionnaire.

Il y avait un espace vide, puis une autre note :

Frank Carter? Morley ne pensait pas grand bien de lui. Avait quitté récemment son emploi. Pourquoi?

Puis venait un nom, suivi d'un point d'interrogation :

Howard Raikes?

Enfin, une phrase entre guillemets :

« *Mais c'est stupide!* »

Poirot réfléchissait. Dehors, sur le rebord de la fenêtre, un oiseau s'était posé, qui tenait dans son bec une petite branche destinée à la construction de son nid. Poirot, lui aussi, ressemblait à un oiseau, avec sa haute tête en forme d'œuf.

Il laissa un blanc sur la page et écrivit, sous la dernière ligne :

Mr Barnes?

Puis, plus bas :

Le bureau de Morley? Traces sur le tapis. Possibilités.

Il considéra cette dernière ligne un moment, puis se leva, se fit apporter sa canne et son chapeau et sortit.

III

Trois quarts d'heure plus tard, Hercule Poirot sortait de la station du Métropolitain à Ealing Broadway et terminait à pied le parcours qu'il avait à faire pour se rendre au 88, Castlegardens Road.

C'était une petite maison, isolée des autres et séparée de la rue par un jardin admirablement entretenu, que Poirot contempla avec une vive satisfaction.

— Voilà au moins qui est d'une parfaite symétrie ! murmura-t-il pour lui-même.

Mr Barnes était chez lui. Il rejoignit bientôt Poirot dans la petite salle à manger où le détective avait été introduit. C'était un homme de taille au-dessous de la moyenne, presque entièrement chauve et dont les yeux clignotaient derrière de grosses lunettes. Il tenait à la main la carte de Poirot, qui lui avait été remise par la femme de chambre.

— Monsieur Poirot, dit-il d'une voix grêle, je suis très honoré de votre visite.

Le détective s'excusait.

— Je vous demande pardon de me présenter chez vous si cavalièrement...

— Ne vous excusez pas, répondit Mr Barnes, vous avez très bien fait et très bien choisi votre heure. Sept heures moins le quart, à cette époque de l'année, c'est la quasi-certitude de trouver les gens chez eux !

Il désigna de la main un siège à son visiteur.

— Asseyez-vous, monsieur Poirot. Nous devons avoir beaucoup de choses à nous dire. J'imagine qu'il s'agit du 58, Queen Charlotte Street?

— Vous avez raison, dit Poirot. Mais puis-je vous demander ce qui vous fait supposer que c'est de cette affaire qu'il s'agit?

— Mon cher monsieur Poirot, j'ai quitté le ministère de l'Intérieur il y a quelque temps déjà, mais je ne suis pas encore tout à fait rouillé. Il y a des affaires qui n'ont pas besoin de publicité et pour lesquelles il est préférable de ne pas faire appel à la police. Inutile d'attirer l'attention sur elles !

— Voulez-vous me permettre une autre question? Pourquoi considérez-vous que cette affaire n'a pas besoin de publicité?

— Je me trompe? Eh bien, c'est dommage !

Penché en avant et agitant doucement ses lunettes qu'il venait d'enlever, Mr Barnes ajouta :

— Quand il s'agit d'espionnage, monsieur Poirot, ce n'est pas le menu fretin qui est intéressant. Ceux qu'il faut ferrer, ce sont les gros poissons. Mais, pour y parvenir, il faut prendre grand soin de ne pas effrayer le menu fretin !

— Il me semble, monsieur Barnes, dit simplement Poirot, que vous savez beaucoup plus de choses que je n'en sais !

— Je ne sais rien du tout, répliqua Mr Barnes. Je fais état de quelques menus faits, c'est tout !

— Tels que?

— Tels, par exemple, que la présence d'Amberiotis chez Morley. Vous oubliez que j'ai été assis en face de lui, dans le salon d'attente, pendant une minute ou deux. Il ne me connaissait pas. J'ai toujours été de ces gens qui ne se remarquent pas. C'est utile quelquefois. Mais, *moi, je l'ai reconnu*... et j'ai parfaitement deviné ce qu'il venait faire !

— Savoir?

Les yeux de Mr Barnes clignotaient à une cadence accélérée.

— Voyez-vous, monsieur Poirot, dit-il, nous sommes, nous autres Anglais, des gens extrêmement fatigants. Nous sommes conservateurs jusqu'à la moelle des os ! Nous grognons, nous protestons, mais nous n'avons dans le fond aucune envie de remplacer nos institutions par d'autres de création plus récente ! Nous sommes très attachés à notre système démocratique et c'est ce qui désole les agitateurs étrangers que notre pays intéresse. Ce qui les navre, c'est que nous avons — et c'est presque exceptionnel en Europe à l'heure où nous sommes — des finances solides ! Aussi longtemps qu'elles le resteront, il n'y aura rien à faire pour eux en Angleterre... et c'est pourquoi il serait tellement intéressant pour eux d'éliminer des hommes comme Alistair Blunt !

Mr Barnes reprit haleine et poursuivit :

« Blunt est de ces hommes qui paient leurs dettes

et vivent sans entamer leur capital, et cela, qu'ils disposent d'énormément d'argent ou qu'ils en gagnent très peu ! Et il estime qu'il en va du budget d'une nation comme du budget d'un particulier. Il est contre les aventures coûteuses, contre les expériences utopiques... et c'est pourquoi d'aucuns ont décidé qu'il devait disparaître !

— Ah ! fit Poirot.

Mr Barnes continuait :

— Je connais la question. Il y a, dans le nombre, des gens très bien, qui rêvent d'un monde meilleur, et d'autres qui sont beaucoup moins bien, qui ne sont, en fait, que des coquins, souvent venus de très loin. Les uns et les autres sont d'accord sur beaucoup de points et, en particulier, sur celui-ci : « Blunt doit disparaître. » Cela parce qu'il est un des fermes soutiens de cet ordre ancien qu'il faut balayer ! Où est la vérité? Je l'ignore. Avant de détruire, ne faudrait-il pas s'assurer qu'on pourra reconstruire et faire mieux? La chose vaudrait d'être discutée, mais, pour le moment, ce n'est pas le débat qui nous intéresse. Nous ne nous occupons pas de théories abstraites, mais de faits. Si l'on supprime les fondations, la maison s'écroulera...

Il se pencha vers Poirot et ajouta, baissant la voix :

— *C'est pourquoi ils veulent avoir Blunt.* Cela, je le sais. Et j'ai la conviction qu'hier matin ils n'ont pas été loin de réussir. Je puis me tromper, mais j'en serais très surpris. Il y a des précédents.

Sur quoi, il cita trois noms : celui d'un chancelier de l'Echiquier, dont la politique était particulièrement heureuse; celui d'un puissant industriel dont on admirait la largeur de vues; celui enfin d'un jeune politicien qui avait l'oreille des foules. Le premier était mort sur la table d'opération, le second avait succombé à une maladie trop tardivement soignée, le troisième avait été écrasé par une automobile.

— Dans les trois cas, poursuivit Mr Barnes, on jouait sur le velours. Pour le chancelier de l'Echiquier, le médecin chargé de l'anesthésie a commis une petite erreur. Ce sont de ces choses qui arrivent. Dans le second cas, le médecin traitant, qui n'était pas un spécialiste, s'est trompé dans son diagnostic. Et, dans le troisième, il s'agissait d'une mère affolée, qui volait au chevet de son enfant malade. L'avocat a fait pleurer les jurés, qui ont acquitté la dame sans discussion !

Après un silence, il reprit :

— Tout cela n'a paru suspect à personne et tout cela est aujourd'hui oublié, mais il vous intéressera peut-être de savoir ce que sont devenus les héros de ces trois aventures. Le premier, le médecin chargé de l'anesthésie, possède maintenant un magnifique laboratoire de recherches pour l'installation duquel il a dépensé une fortune. Le second a pris sa retraite. Il vit au bord de la mer, dans une belle propriété qui lui appartient, et il a un yacht. Quant à la dame, ses enfants reçoivent une excellente éducation et, aux vacances, ils se retrouvent à la campagne, dans le superbe domaine acheté par leur maman...

Hochant la tête, il ajouta :

— Dans toutes les professions, on trouve toujours un homme accessible à la tentation. Les circonstances ont voulu que Morley ne le fût pas.

— Selon vous, ce serait là l'explication de sa mort?

— Je le crois, répondit Mr Barnes. Un homme comme Blunt n'est pas facile à joindre et à toucher. Il est gardé, protégé. L'accident d'auto est très aléatoire et ne réussit pas toujours. Mais un homme est pratiquement sans défense quand il est assis dans le fauteuil d'un dentiste. A mon avis, *Morley n'a pas voulu marcher*. Et, comme il en savait trop, ils l'ont supprimé.

— Qui, « ils »?

— Les gens qui sont à la tête de l'organisation qui est derrière tous les faits que je viens de vous rapporter. Naturellement, il n'y a eu qu'un exécutant.

— Qui serait?

— Je puis risquer une supposition, mais ce ne sera qu'une supposition et je puis me tromper.

— Reilly? dit tranquillement Poirot.

— C'est, en effet, à lui qu'il est naturel de penser, déclara Mr Barnes. Je ne crois pas qu'on ait demandé à Mr Morley de faire la chose lui-même. Je penserais plutôt qu'il devait, à la dernière minute, sous un prétexte quelconque, par exemple en invoquant un malaise soudain, prier Blunt de se laisser soigner par son associé. Reilly serait intervenu et l'on aurait parlé d'un déplorable accident. Le jeune dentiste, poursuivi comme il se doit, se serait montré si malheureux et si bourrelé de remords qu'il s'en serait tiré avec une condamnation légère et nous l'aurions retrouvé dans quelque temps, ayant lâché la dentisterie et vivant quelque part de très confortables revenus. Ne croyez pas que je suis en train de faire du roman-feuilleton, ces choses-là arrivent !

— Je le sais, fit Poirot.

Mr Barnes posa la main sur un livre à reliure sombre qui se trouvait sur la table.

— J'ai lu des quantités de romans d'espionnage, reprit-il. Ils racontent des aventures fantastiques, mais qui, il est assez curieux de le remarquer, ne sont *pas plus extraordinaires que les authentiques histoires d'espionnage*. Il y a dans la vie des aventurières au visage adorable, il y a des hommes inquiétants qui parlent avec un fort accent étranger, il y a des bandes internationales et des chefs dont on ne soupçonne pas la puissance. Si certaines des histoires vraies que je sais étaient déjà imprimées, je suis sûr que personne ne voudrait les croire !

— Dans votre théorie, demanda Poirot, *quel rôle joue Amberiotis*?

— Je ne sais pas trop, avoua Mr Barnes. Peut-être était-il destiné à servir de bouc émissaire. Il avait souvent joué double jeu et il se peut qu'on ait voulu en finir avec lui à cette occasion. Je donne l'idée pour ce qu'elle vaut...

— En admettant que vous ayez vu juste, dit Poirot, *que va-t-il se passer maintenant*?

Mr Barnes se gratta le nez, mais répondit sans hésiter :

— Ils essaieront de nouveau. Blunt est évidemment protégé, mais ses gardes du corps feront bien de redoubler de vigilance. Il n'a pas à redouter un homme armé, surgissant d'un fourré, ou quelque attaque au coin d'une rue. Ses ennemis sont d'une autre force. Qu'il se méfie des gens qui n'inspirent pas la méfiance, de ses amis, des vieux domestiques, du pharmacien qui lui prépare un sirop, du marchand de vins à qui il achète son porto ! Vous ne pouvez pas savoir ce que les gens sont capables de faire pour s'assurer un petit revenu annuel de quatre milliers de livres !

— Tant que cela?

— Peut-être plus !

Il y eut un silence.

— J'ai pensé à Reilly dès le début, dit Poirot.

— Parce qu'il est irlandais et qu'il existe en Irlande plusieurs associations révolutionnaires?

— Pas tellement pour cela, mais parce qu'il y avait sur le tapis du cabinet de Morley des traces semblant indiquer qu'on avait traîné le corps. Si Morley avait été tué par un de ses malades, la chose se serait passée dans le cabinet même et il n'y aurait pas eu à déplacer le cadavre. C'est pourquoi j'ai tout de suite pensé qu'il n'a pas été assassiné dans son cabinet, mais tout à côté, dans son bureau. Ce qui donne à croire qu'il n'aurait pas été tué par un de ses malades, mais par un de ses familiers.

— Bien raisonné, remarqua Mr Barnes.

Poirot se levait.

— Je vous remercie très sincèrement, dit-il, prenant congé. J'ai l'impression que ce que vous m'avez dit me sera très utile.

IV

Avant de rentrer chez lui, Poirot s'arrêta au Glengowrie Court Hotel.

Le lendemain matin, conséquence de cette visite, il appelait Japp au téléphone.

— Bonjour, mon cher ami, dit-il. L'enquête a bien lieu aujourd'hui?

— Oui. Vous y assisterez?

— Je ne crois pas!

— J'imagine qu'elle ne présentera aucun intérêt.

— Faites-vous comparaître miss Sainsbury Seale comme témoin?

— L'adorable Mabelle, deux L, E, qui pourrait si bien s'appeler Mabel, B, E, L, comme tout le monde?

Les femmes m'épateront toujours ! Non, je ne l'ai pas citée. Pas besoin !

— Vous a-t-elle donné de ses nouvelles?

— Non. Pourquoi?

— Je me le demandais, voilà tout ! Parce qu'il vous intéressera peut-être d'apprendre que miss Sainsbury Seale a quitté le Glengowrie Court Hotel avant-hier soir, juste avant l'heure du dîner, et qu'elle n'a pas reparu depuis.

— *Vous dites?* Elle aurait filé?

— C'est une explication vraisemblable.

— Mais pourquoi? C'est une femme très bien et à qui l'on n'a rien à reprocher ! J'ai demandé par câble des renseignements à son sujet — c'était avant de connaître la cause de la mort d'Amberiotis, car autrement je n'aurais même pas pris cette peine — et Calcutta m'a répondu hier soir. Rien à redire. Tout ce qu'elle nous a raconté d'elle-même est vrai. Elle a peut-être passé un peu vite sur l'histoire de son mariage, mais ce n'est pas grave. Elle avait épousé un étudiant hindou et elle s'est aperçue qu'il avait déjà pas mal d'autres liens. Elle a alors repris son nom de jeune fille et s'est occupée de bonnes œuvres. Très bien vue des missionnaires, elle s'est mise à donner des leçons de diction et il est exact qu'elle a participé à la création d'un théâtre d'amateurs. Au total, ce que j'appellerai une femme redoutable, mais dont on ne peut pas supposer qu'elle soit pour quelque chose dans une affaire de meurtre. Et vous me dites qu'elle est partie ! Alors là, je ne vous comprends plus !

Japp se tut quelques secondes, puis il ajouta :

« Peut-être qu'elle en a eu assez de son hôtel? A sa place, je n'aurais pas attendu si longtemps pour déménager !

— Ses bagages sont toujours là, répondit Poirot. Elle n'a rien emporté.

Japp lâcha un juron.

— A quelle heure est-elle partie? demanda-t-il ensuite.

— Vers sept heures moins le quart.

— Les gens de l'hôtel, qu'est-ce qu'ils pensent de ça?

— L'affaire les ennuie. La directrice est désolée.

— Pourquoi n'ont-ils pas prévenu la police?

— Mais, mon cher, parce qu'il peut arriver à une dame de passer la nuit hors de chez elle, même quand ça paraît invraisemblable, et qu'elle serait assez fâchée, à son retour, de constater qu'on a alerté la police parce qu'elle a découché. Mrs Harrison — c'est la directrice du Glengowrie — a téléphoné aux hôpitaux, craignant un accident. Elle se disposait à appeler la police quand je suis arrivé et elle m'a accueilli comme le Messie. Je lui ai dit que je me chargeais de tout et que l'affaire serait confiée à un officier de police qui est la discrétion même.

— J'imagine que c'est à moi que vous pensiez?

— Exactement.

Japp grommela d'ironiques remerciements.

— Entendu, dit-il enfin. Je vous retrouverai au Glengowrie après l'enquête.

V

— Enfin, dit Japp avec mauvaise humeur, tandis qu'ils attendaient la directrice, pourquoi, diable, cette femme-là a-t-elle éprouvé le besoin de disparaître?

— Vous admettez que c'est curieux? fit Poirot.

Ils n'eurent pas le temps d'échanger d'autres

réflexions. Mrs Harrison, directrice et propriétaire du Glengowrie Court Hotel, les rejoignait.

Mrs Harrison avait presque les larmes aux yeux et la première question de Japp déclencha un véritable déluge verbal. La brave dame était très inquiète. Qu'avait-il pu arriver à miss Sainsbury Seale? Elle avait envisagé toutes les hypothèses : perte de mémoire, indisposition soudaine, hémorragie, accident de voiture, agression à main armée suivie de vol, etc.

Mrs Harrison s'interrompit pour souffler et conclut :

— Une si charmante femme !... Et qui semblait si heureuse avec nous !

A la demande de Japp, elle conduisit ensuite les deux hommes à la chambre qu'avait occupée la disparue. Tout y était propre et bien rangé, depuis les vêtements accrochés dans l'armoire, jusqu'à la chemise de nuit, pliée sur l'oreiller. Il y avait, dans un coin, deux malles très ordinaires et, alignées sous une coiffeuse, tout un régiment de chaussures : de solides souliers de marche, deux paires de bottines vernies à hauts talons, des souliers de soirée en satin noir, qui n'avaient pour ainsi dire pas été portés, et une paire de mocassins. Poirot remarqua que les souliers du soir étaient d'une pointure beaucoup plus petite, d'où l'on pouvait inférer ou que miss Sainsbury Seale avait des cors ou qu'elle tenait beaucoup à l'élégance des extrémités inférieures. Il se demanda à ce propos si elle avait trouvé le temps de recoudre la boucle de son soulier avant de sortir. Il espérait que oui, la négligence vestimentaire lui ayant toujours été insupportable.

Japp examinait des lettres trouvées dans le secrétaire. Poirot tira un tiroir de la commode, constata qu'il était plein de linge de corps et le repoussa discrètement, tout en remarquant pour lui-même que miss Sainsbury Seale semblait avoir le goût des lainages. Il ouvrit un autre tiroir, qui contenait des bas.

— Vous trouvez quelque chose, Poirot? demanda Japp.

Poirot, un air de profonde affliction sur le visage, considérait une paire de bas :

— Non, dit-il. C'est du « deux », soie artificielle, prix probable : deux shillings onze !

— Vous vous prenez pour un commissaire-priseur?

Souriant, Japp ajoutait :

« Pas grand-chose non plus, par ici ! Deux lettres qui viennent des Indes, deux ou trois reçus délivrés par des organisations charitables, pas l'ombre d'une facture ! Miss Sainsbury Seale est décidément quelqu'un de très bien...

— Mais, remarqua Poirot, quelqu'un qui s'habille bien mal !

— Sans doute, déclara Japp, parce qu'elle estime que ça n'a aucune importance !

Il notait une adresse, relevée sur une lettre vieille de deux mois.

— Ces gens-là pourront peut-être nous parler d'elle dit-il. Ils habitent Hampstead et semblent assez bien la connaître.

Les deux hommes apprirent encore, toujours de la bouche de Mrs Harrison, que rien n'avait paru anormal dans les manières de miss Sainsbury Seale le soir de sa disparition et qu'il semblait bien qu'elle eût l'intention de revenir, puisque passant dans le hall, elle avait dit à son amie, Mrs Bolitho, qu'après le dîner elle lui montrerait la réussite dont elle lui avait parlé. De plus, alors qu'il était d'usage au Glengowrie de prévenir lorsqu'on ne rentrerait pas pour le repas, miss Sainsbury Seale n'avait rien dit à Mrs Harrison, ce qui semblait bien indiquer qu'elle pensait être de retour pour le dîner, servi entre sept heures et demie et huit heures et demie. Mais on ne l'avait plus revue. Elle était partie par Cromwell Road et avait disparu.

Quittant le Glengowrie Court, Japp et Poirot se rendirent à Hampstead, à l'adresse notée par l'inspecteur.

Les Adams vivaient avec leur nombreuse progéniture dans une coquette petite villa, et c'étaient des gens sympathiques. Ils avaient bien connu miss Sainsbury Seale aux Indes, ils ne tarissaient pas d'éloges sur son compte, mais ils ne l'avaient pas vue depuis un mois, exactement depuis les vacances de Pâques. A ce moment-là, elle résidait dans un hôtel de Russell Square. Poirot nota l'adresse, comme aussi celle d'une famille amie de miss Sainsbury Seale, qui habitait Streatham.

Ils n'apprirent rien à l'hôtel de Russell Square, où l'on ne se souvenait de miss Sainsbury Seale que comme d'une dame qui ne faisait pas de bruit et qui avait longtemps vécu aux Indes, rien non plus à Streatham, où ses amis n'avaient pas vu miss Sainsbury Seale depuis le mois de février.

Quand, les hôpitaux consultés, ils eurent acquis la certitude qu'il fallait écarter l'hypothèse d'un accident, Japp et Poirot durent convenir que miss Sainsbury Seale avait indubitablement disparu.

Elle semblait s'être évaporée dans l'espace.

VI

Le lendemain matin, Hercule Poirot se présentait au Holborn Palace Hotel et demandait à voir Mr Howard Raikes.

C'est sans surprise qu'il aurait appris que Mr Howard Raikes avait, lui aussi, disparu, mais il n'en était rien. Mr Howard Raikes résidait toujours au Holborn Palace, où présentement, dit-on à Poirot, il était en train de prendre son petit déjeuner.

L'apparition de Poirot sembla ne procurer à Mr Raikes qu'un plaisir très modéré. Il y avait dans son regard une hostilité avouée tandis que, dévisageant l'indésirable visiteur, il lui demandait d'une voix rogue « ce qu'il lui voulait ».

Poirot, cependant, prenait une chaise et s'asseyait.

— Vous permettez?

Mr Raikes, avec une lourde ironie, invitait le détective à « faire comme chez lui ». Souriant, Poirot se prévalut de la permission et s'installa confortablement en face de Mr Raikes.

— Enfin, dit celui-ci, que me voulez-vous?

Poirot répondit par une question :

— Est-ce que vous vous souvenez de moi, Mr Raikes?

— Je ne vous ai jamais vu de ma vie.

— Erreur ! répliqua Poirot. Il n'y a pas plus de trois jours, nous sommes restés assis à quelques pas l'un de l'autre, dans une même pièce, pendant cinq minutes au moins !

— Je ne me le rappelle pas.

— C'était dans le salon d'attente d'un dentiste.

Ces derniers mots parurent faire sur le jeune homme une certaine impression. Il se ressaisit tout de suite, mais son attitude changea. Il renonçait aux insolences pour se montrer circonspect et prudent.

— Alors? dit-il.

Poirot le regardait. Il s'était peut-être avancé en déclarant que ce jeune homme avait une figure d'assassin, mais il était certain qu'il avait l'air dangereux. Dans le visage émacié, on remarquait surtout la mâchoire, énorme, et les yeux, qui étaient ceux d'un fanatique ou d'un illuminé. L'homme était mal habillé et mangeait avec une voracité que Poirot considérait comme révélatrice, voire comme symbolique.

« Il a ses idées, songeait-il, mais c'est un loup affamé ! »

De la même voix âpre, Raikes interrogeait de nouveau :

— Enfin, pourrais-je savoir ce que signifie cette visite?

— Elle vous est désagréable?

— Je ne sais même pas qui vous êtes !

— Pardonnez-moi !

Poirot tira de sa poche son portefeuille et, par-dessus la table, tendit sa carte à Raikes. L'homme jeta les yeux dessus et la rendit au détective. Il y avait dans son regard plus de colère et d'hostilité que de crainte.

— Ainsi, dit-il, vous êtes Hercule Poirot. J'ai entendu parler de vous...

— Je suis assez connu, remarqua Poirot, avec son ordinaire modestie.

— Vous êtes un flic, poursuivait Raikes. Du modèle dispendieux. Un de ceux auxquels on fait appel quand on ne regarde pas à la dépense, quand on estime qu'on peut payer n'importe quel prix du moment qu'il s'agit de sauver sa peau !

— Si vous ne buvez pas votre café, dit Poirot, il sera froid.

Il parlait doucement, mais d'une voix assurée.

Raikes le considérait avec une certaine stupeur.

— Le café, dans ce pays, ajoutait Poirot, est toujours très mauvais. Mais, si on ne le boit pas chaud, il devient impossible !

Raikes en convint d'un mot et reprit :

— Enfin, où voulez-vous en venir? Qu'êtes-vous venu faire ici?

Poirot haussa les épaules.

— Je voulais vous voir.

— Vraiment?

Mr Raikes posa ses coudes sur la table.

— Si c'est de l'argent que vous cherchez, monsieur Poirot, vous vous êtes trompé d'adresse ! Ce qu'ils veulent, les gens avec qui je travaille ne peuvent pas l'acheter. Allez retrouver celui qui vous paie !

Poirot poussa un soupir.

— Jusqu'à présent, personne ne me paie !

— Ne me racontez donc pas d'histoires !

— Vous pouvez ne pas me croire, mais c'est la vérité. Mon temps est précieux, mais, pour le moment, je le dépense sans contrepartie. Disons que c'est pour satisfaire ma curiosité naturelle...

— Et c'est sans doute aussi pour « satisfaire votre curiosité naturelle » que vous étiez l'autre jour chez ce satané dentiste?

Poirot fit non de la tête.

— Vous semblez oublier que, lorsqu'on se trouve dans l'antichambre d'un dentiste, ce peut être qu'on a besoin de se faire soigner les dents. C'était mon cas.

— Vraiment? Vous veniez en consultation?

— Je l'avoue.

— Eh bien ! monsieur Poirot, vous voudrez bien me pardonner, mais je ne vous crois pas !

— Libre à vous ! répondit Poirot. Mais, alors, puis-je vous demander ce que *vous-même* vous faisiez dans ce salon d'attente?

Mr Raikes ricana.

— Je venais, comme vous, me faire soigner les dents.

— Vous souffriez?

— Vous l'avez dit !

— Pourtant, vous êtes parti sans avoir vu le dentiste !

— Et après? Ça me regarde !

Il y eut un silence, que Raikes rompit, pour dire d'une voix d'où toute ironie avait disparu :

— Vous ne croyez pas que nous avons assez parlé pour ne rien dire? Vous étiez là-bas pour assurer la protection de votre gros client. Il ne lui est rien arrivé? Alors, de quoi vous plaignez-vous? Votre cher Mr Alistair Blunt est en bonne santé. Vous n'avez rien contre moi. Alors?

— Où êtes-vous allé quand, brusquement, vous êtes sorti du salon d'attente?

— J'ai quitté la maison.

— Ah !

Poirot regardait le plafond.

— Mais, dit-il, personne ne vous a vu sortir.

— Quelle importance?

— Ça pourrait en avoir. N'oubliez pas que quelqu'un est mort dans cette maison, quelques instants plus tard !

— Vous voulez parler du dentiste?

— Exactement.

Raikes regarda Poirot bien dans les yeux.

— Vous voudriez m'accuser de l'avoir tué? dit-il. C'est là votre intention? Eh bien ! il vaut mieux y renoncer ! Je viens de lire le compte rendu de l'enquête, qui a eu lieu hier. Le pauvre diable s'est suicidé, parce qu'il avait commis une faute professionnelle qui devait entraîner la mort d'un de ses malades.

Poirot paraissait n'avoir pas entendu.

— Pouvez-vous prouver que vous êtes sorti de la maison à l'heure où vous le prétendez? demanda-t-il. Avez-vous quelqu'un qui soit en mesure de dire où vous vous trouviez entre midi et une heure?

Les yeux de Raikes se fixaient dans ceux de Poirot.

— *Vous voulez absolument que ce soit moi?* Blunt y tient, probablement !

Poirot poussa un soupir excédé.

— Vous m'excuserez, dit-il, mais ça paraît chez vous une obsession ! Pourquoi en revenez-vous toujours à Alistair Blunt? Je ne travaille pas pour lui, je n'ai jamais travaillé pour lui. Ce qui m'intéresse, ce n'est pas Mr Blunt et sa sécurité, c'est la mort d'un honnête homme, qui faisait du bon travail dans la profession qu'il avait choisie !

Raikes hocha la tête.

— Je suis désolé, répondit-il, mais je ne vous crois pas. Que vous en conveniez ou non, vous êtes un flic au service de Blunt et ça me suffit !

Ses traits se durcirent et, penché au-dessus de la table, il ajouta :

— En tout cas, mettez-vous bien dans la tête que vous ne le sauverez pas ! Il faudra qu'il disparaisse, lui et tout ce qu'il représente ! Nous allons vers un ordre nouveau qui nous débarrassera de tous ces financiers corrompus, de tous ces banquiers, qui semblent avoir tissé sur le monde comme une gigantesque toile d'araignée ! Il faut qu'ils soient balayés. Je n'ai rien contre Blunt personnellement, sinon qu'il incarne le type même des hommes que je hais. C'est un médiocre, mais dont on ne peut venir à bout qu'avec de la dynamite ! Il est de ces gens qui disent : « Vous n'avez pas le droit de toucher à l'ordre établi ! » Vraiment?... Eh bien ! on verra ça ! Dans le monde que nous voulons, il n'y a plus de place pour des hommes comme Blunt, pour des individus qui vivent dans le culte d'un passé que nous détestons ! Il sont des quantités encore en Angleterre, des fossiles encroûtés qui sont les symboles décrépits d'un âge révolu ! Nous les supprimerons et nous créerons un monde nouveau ! Vous entendez, un monde nouveau?

Poirot s'était levé.

— Je vois, monsieur Raikes, dit-il, que vous êtes un idéaliste !

— Et après?

— Et qu'en cette qualité, vous ne pouvez guère vous préoccuper de la mort d'un pauvre dentiste !

— Quelle importance a-t-elle, en effet? lança Mr Raikes, d'un ton plein de mépris.

— Elle n'en a pas pour vous, répondit doucement Poirot, mais elle en a pour moi. C'est justement ce qui fait la différence entre vous et moi !

VII

George, lorsque Poirot rentra chez lui, l'informa qu'une dame l'attendait.

— Elle m'a semblé un peu nerveuse, ajouta-t-il.

La dame n'ayant point donné de nom, Poirot essaya de deviner qui elle pouvait être, mais il se trompa dans son pronostic. Il ne s'imaginait pas, en effet, trouver dans son salon miss Gladys Nevill, l'ancienne secrétaire-assistante de feu Mr Morley.

Elle se leva à son entrée :

— Cher monsieur Poirot, dit-elle, très agitée, je suis désolée de venir vous ennuyer et j'ai longtemps hésité avant de venir. Je sais que vos minutes sont précieuses et que vous avez beaucoup à faire, mais je suis tellement malheureuse...

Poirot avait l'expérience des Anglais. Il proposa une tasse de thé. Miss Nevill réagit comme il l'attendait.

— C'est très gentil à vous, monsieur Poirot. L'après-midi n'est pas encore très avancé, mais on peut toujours prendre une tasse de thé, n'est-ce pas?

Poirot, qui tenait, lui, qu'on peut toujours se passer d'une tasse de thé, mentit résolument et, quelques minutes plus tard, grâce à l'industrie du fidèle George, Poirot servait à sa visiteuse sa première tasse. Tout de suite, et ainsi que Poirot l'avait escompté, miss Nevill — heureux effet du merveilleux breuvage — retrouvait un peu de calme et d'équilibre.

— Monsieur Poirot, dit-elle, je m'excuse encore de vous importuner. C'est au sujet de l'enquête que je suis venue vous trouver. Elle m'a terriblement déçue!

Poirot déclara doucement que le contraire l'eût surpris.

— Je n'étais pas allée là-bas pour déposer, poursuivit miss Nevill, mais parce qu'il m'avait semblé que quelqu'un devait accompagner miss Morley. Il y avait bien Mr Reilly, mais miss Morley ne l'aime pas beaucoup. J'ai donc considéré qu'il était de mon devoir d'aller avec elle...

— Vous avez très bien fait!

— C'était tout naturel. J'ai travaillé plusieurs années avec Mr Morley et sa triste fin a été pour moi une douloureuse épreuve. J'ajoute que l'enquête n'a rien arrangé!

— Ce qui ne me surprend nullement.

Miss Nevill se pencha vers Poirot.

— Vous savez, monsieur Poirot, *que la police se trompe du tout au tout?*

— Comment cela?

— Les choses ne peuvent pas s'être passées comme elle le prétend! Il est impossible que Mr Morley se soit trompé dans la dose d'anesthésique à injecter dans les gencives d'un malade.

— Vous croyez?

— J'en suis sûre ! Il arrive que des malades supportent mal l'anesthésique, mais c'est leur tempérament qui est en cause, la plupart du temps parce qu'ils ont une maladie de cœur. Mais une erreur dans le dosage même de l'anesthésique est chose à peu près impossible. L'habitude du praticien est telle qu'il n'a presque pas besoin de faire attention à ce qu'il fait. Automatiquement, presque sans en avoir conscience, il prend dans sa seringue la quantité exacte d'anesthésique qui lui est nécessaire.

Poirot approuvait du chef.

— J'y avais déjà songé, dit-il.

Miss Nevill poursuivait :

— Pour le dentiste, la dose ne varie jamais. Le pharmacien peut commettre des erreurs, parce que ses préparations ne sont pas toujours identiques, le médecin peut se tromper en rédigeant une ordonnance. Pour le dentiste, c'est tout autre chose !

— Vous n'avez pas demandé à faire ces déclarations devant la cour ? dit Poirot.

Gladys Nevill hésita un peu avant de répondre.

— Non, fit-elle enfin. Et cela parce qu'on aurait peut-être mal interprété ma déposition. Je sais, moi, que Mr Morley eût été incapable d'assassiner un de ses malades, mais si j'avais dit ce que je viens de vous dire, n'en aurait-on pas conclu qu'il avait fait exprès de commettre une erreur ?

— Très juste, dit Poirot.

— C'est pourquoi, monsieur Poirot, je suis venue vous trouver. La police officielle risquerait de ne pas comprendre, et il faut pourtant *que quelqu'un sache* que les choses ne se sont pas passées comme on le dit !

— Vous avez raison, déclara Poirot. Le malheur est que cela n'intéresse personne !

Elle le regarda, stupéfaite.

« J'aimerais, reprit-il, que vous me parliez de ce télégramme que vous avez reçu, celui qui vous a appelée hors de Londres ce jour-là.

— En toute sincérité, monsieur Poirot, répondit-elle, je ne sais qu'en penser. C'est une histoire bien étrange ! Non seulement la personne qui l'a expédié me connaissait bien, mais elle connaissait ma tante et savait où elle habitait.

— Il aurait donc été envoyé par un de vos amis?

— Je n'en vois aucun que je puisse accuser raisonnablement.

— Alors?

La question gênait visiblement la jeune fille.

— Au début, dit-elle enfin, quand j'ai compris que Mr Morley s'était suicidé, je me suis demandé si ce n'était pas lui qui m'avait envoyé ce télégramme.

— Non pas parce que vous étiez vous, mais simplement parce qu'il voulait être seul?

— Oui. Seulement à la réflexion, j'ai trouvé que cette supposition était folle, même s'il avait bien l'intention de se donner la mort. Vraiment, je ne sais que penser. Frank, lui — c'est un ami à moi, comme vous savez —, s'était tout d'abord mis dans la tête une idée complètement absurde. Pour lui, c'était moi qui m'étais fait envoyer ce télégramme pour aller passer la journée avec quelqu'un d'autre. Comme si ça me ressemblait !

— Il y a un « quelqu'un d'autre »?

Miss Nevill rougit.

— Bien sûr que non ! Seulement, Frank a beaucoup changé en ces derniers temps. Il est devenu grognon et jaloux. Sans doute parce qu'il avait perdu son emploi et n'avait pu s'en procurer un autre !... Il n'y a rien de si mauvais pour un homme que de n'avoir pas de travail et je me suis fait beaucoup de soucis pour Frank en ces dernières semaines !

— Il a été très contrarié, je crois, de découvrir que vous étiez absente ce jour-là?

— Oui... et ça se comprend ! Il était venu m'annoncer qu'il avait trouvé une place... Une place merveilleuse, où il allait gagner dix livres par semaine. Il ne pouvait pas attendre, il voulait me faire part tout de suite de la bonne nouvelle... et je crois aussi qu'il n'était pas fâché de la faire connaître à Mr Morley. Il était très vexé que Mr Morley ne pensât pas grand bien de lui et il croyait, en outre, que mon patron essayait de me détacher de lui.

— En quoi il se trompait?

— Oui... Ou plutôt oui et non ! Evidemment, Frank a occupé pas mal de postes sans en conserver aucun et on peut considérer qu'il a un peu manqué de sérieux. Mais il s'est amendé ! Je crois beaucoup à l'influence qu'on peut exercer sur les gens. Quand un homme a le sentiment qu'une femme compte sur lui, il essaie d'être digne d'elle. Vous ne croyez pas?

Poirot réprima un sourire, mais se garda de discuter. Ces propos, il les avait entendus dans la bouche de centaines de femmes qui, toutes, comme Gladys, croyaient avec un incurable optimisme au pouvoir rédempteur de l'amour. Il estimait qu'elles ne se trompaient pas dans la proportion d'une fois sur mille.

— J'aimerais rencontrer votre ami, dit-il.

— Je serais très heureuse de vous le présenter, fit-elle vivement, mais actuellement il n'est plus libre que le dimanche. Toute la semaine, il travaille hors de Londres.

— Son nouvel emploi?... Que fait-il, au juste?

— Exactement, je ne le sais pas. Il a un poste de secrétaire, je crois ! Il dépend d'un ministère. Je lui écris à son adresse de Londres et on lui fait suivre mes lettres.

— Vous ne trouvez pas ça curieux?

— Ça m'a étonnée, d'abord, mais Frank m'assure que c'est tout à fait normal...

Poirot réfléchit sans mot dire pendant quelques instants, puis il dit :

— Demain, c'est dimanche ! Voulez-vous me faire le plaisir de déjeuner avec moi, tous les deux chez Logan? J'aimerais parler de cette triste affaire avec vous deux.

— Très volontiers, monsieur Poirot. Cela nous fera grand plaisir à tous les deux !

VIII

Frank Carter était un jeune homme de taille moyenne, habillé avec une élégance bon marché. Il s'exprimait avec une certaine facilité. Il avait les yeux très rapprochés l'un de l'autre et il se tortillait curieusement sur sa chaise quand une question l'embarrassait.

Il semblait se méfier de Poirot, contre lequel il paraissait très prévenu.

— Je ne savais pas, monsieur Poirot, déclara-t-il dès l'abord, que nous aurions le plaisir de déjeuner avec vous. Gladys ne m'en avait rien dit.

Poirot sourit.

— Elle n'est pas coupable. Nous avons arrangé ça hier ! La mort de Mr Morley préoccupe beaucoup miss Nevill et je me suis dit que, peut-être, si nous en parlions ensemble...

Frank Carter, sans le moindre souci des convenances, coupa la parole au détective.

— J'en ai jusqu'ici de la mort de Mr Morley ! Vous ne pouvez pas penser à autre chose, Gladys? Il n'était pas tellement remarquable, que je sache !

— Frank ! s'écria-t-elle. Comment pouvez-vous parler ainsi? C'était un très brave homme ! Ne m'a-t-il pas laissé cent livres? J'ai reçu la lettre hier soir !

— C'est possible, répliqua le jeune homme avec mauvaise humeur. Il n'a fait que son devoir. Il vous écrasait de travail. Et qui empochait tous les bénéfices? Mr Morley, bien sûr !

— Il me payait très largement.

— Ce n'est pas mon avis. Ma petite Gladys, vous êtes beaucoup trop modeste, et c'est pour ça qu'on vous exploite ! J'ai jugé Morley dès le premier jour, et c'est pour ça qu'il a fait tout ce qu'il a pu pour que vous m'envoyiez promener !

— Il ne savait pas...

— Il savait très bien !... Et s'il n'était pas mort, j'aurais eu deux mots à lui raconter !

Poirot jugea qu'il était temps d'intervenir.

— C'est sans doute, demanda-t-il, ces deux mots que vous aviez l'intention de lui dire quand vous êtes allé chez lui, le jour de sa mort?

Frank Carter dévisagea le détective d'un air furieux.

— Qui vous a dit que j'étais passé chez lui?

— C'est inexact?

— C'était mon droit ! Je voulais voir miss Nevill.

— Et on vous a répondu qu'elle était absente.

— Oui... et ça m'a même paru assez louche. C'est pour ça que j'ai dit à l'espèce de rouquin qui était venu à la porte que j'attendais pour voir Mr Morley. Il y avait assez longtemps qu'il faisait tout ce qu'il pouvait pour dresser Gladys contre moi. Je me proposais de lui annoncer que je n'étais plus un pauvre type sur le sable, que j'avais dégoté un emploi intéressant et qu'il commençait à être temps, pour Gladys, de lui tirer sa révérence et de s'occuper de son trousseau !

— Mais, de tout ça, en définitive, vous ne lui avez rien dit?

— Non ! J'en ai eu assez d'attendre dans sa crypte et je suis parti.

— A quelle heure?

— Je ne me souviens plus.

— A quelle heure étiez-vous arrivé?

— Je ne sais pas. Probablement, un peu après midi.

— Et vous êtes resté combien de temps? Une demi-heure?... Plus... ou moins?

— Je n'en sais rien, je vous dis ! Je ne suis pas de ces gars qui vivent les yeux sur la pendule !

— Y avait-il quelqu'un dans le salon d'attente quand vous vous y trouviez?

— Quand je suis entré, il y avait un gros bonhomme à la peau huileuse. Après son départ, je suis resté seul.

— Alors, vous avez dû vous en aller avant midi et demi, car à cette heure-là il est arrivé une dame.

— C'est bien possible ! Cette espèce de cave finissait par me taper sur les nerfs !

Poirot regardait Frank Carter et réfléchissait. Il lui semblait que les propos du jeune homme manquaient de sincérité.

C'est cependant sur le ton le plus amical qu'il poursuivit la conversation.

— Miss Nevill m'a dit que vous avez eu la chance de trouver une belle situation?

— Elle n'est pas mal payée !

— Dix livres par semaine, je crois?

— C'est ça ! C'est honnête, n'est-ce pas? Et ça prouve que je peux me défendre, moi aussi, quand je le veux !

Il se rengorgeait.

— Le travail n'est pas trop pénible? demanda Poirot.

— Ça peut aller !

— Intéressant?

— Très intéressant. Mais, puisqu'on parle « métiers », je serais curieux de savoir comment se débrouillent les détectives privés ! J'imagine qu'ils ont rarement à jouer les Sherlock Holmes et qu'ils ont surtout à s'occuper des divorces?

— Ce sont des affaires que je refuse toujours, dit Poirot.

— Vraiment? Alors, comment vivez-vous?

— Je m'arrange, mon cher ami, je m'arrange...

— Et puis, monsieur Poirot, dit gentiment Gladys, vous êtes tout en haut de l'échelle, vous ! Vous êtes le genre de détective auquel les grands de la terre font appel : le roi, le ministre de l'Intérieur, les duchesses...

Poirot se tourna vers la jeune femme.

— Vous me flattez, murmura-t-il.

Il souriait et le ton n'était pas très convaincu.

IX

Poirot rentra chez lui à pied. Il était songeur. Dès son arrivée, il appela Japp au téléphone.

— Pardonnez-moi de vous déranger, mon cher ami, dit-il, mais j'aurais voulu savoir si vous avez trouvé quoi que ce soit, au sujet du télégramme reçu par Gladys Nevill.

— L'affaire continue à vous intéresser? Eh bien, puisque ça vous tracasse, sachez qu'il y a bien eu un télégramme ! Le coup était bien monté. La tante habite Richbourne, dans le Somerset. Le télégramme est parti de Richbarn, qui est, comme vous ne l'ignorez pas, un faubourg de Londres...

— Très fort, ça, dit Poirot, très fort. Si miss Nevill avait jeté un coup d'œil sur le télégramme pour voir où il avait été mis, le mot « Richbarn » ressemblait assez à « Richbourne » pour la convaincre qu'il arrivait bien du Somerset...

Il ajouta, après un silence :

— Vous savez ce que je pense, Japp?

— Non.

— Eh bien ! je suis en train de me dire que cette affaire est menée par quelqu'un de très intelligent !

— Hercule Poirot veut que ce soit un meurtre, donc c'est un meurtre !

— Comment expliquez-vous ce télégramme?

— Une coïncidence. Quelqu'un a voulu faire marcher la petite...

— Pourquoi?

— Mon cher Poirot, ces choses-là ne s'expliquent pas ! Un mystificateur opère pour le plaisir. Disons, si vous voulez, qu'il souffre d'une déviation du sens de l'humour...

— En tout cas, il est curieux que celui-là ait justement choisi, pour faire une blague à miss Nevill, le jour où Morley allait commettre l'erreur que vous savez !

— Je ne dis pas, précisa Japp, qu'il n'y a pas une relation de cause à effet entre les deux faits. C'est parce que miss Nevill est absente que Morley est bousculé, et c'est parce qu'il est bousculé qu'il fait une erreur !

— Je ne crois pas ça, dit Poirot.

— Je m'en doute ! Mais voyez-vous bien où votre raisonnement vous conduit? Si c'est dans un dessein déterminé qu'on a voulu éloigner miss Nevill, c'est très probablement Morley lui-même qui a envoyé le télégramme. D'où il suit que c'est volontairement qu'il a tué Amberiotis, et non par accident !

Poirot se taisait. Japp insista.

— Alors, Poirot, qu'en dites-vous?

— Je dis, répondit Poirot, qu'il se peut qu'Amberiotis n'ait pas été tué par Morley.

— Impossible. Personne n'est venu le voir au Savoy. Il a déjeuné dans sa chambre et les médecins sont formels : aucune trace de drogue dans l'estomac. Elle n'a pas été absorbée par la bouche, mais injectée. Alors? Non, Poirot, l'affaire est claire...

— C'est ce qu'on veut nous faire croire !

— Le commissaire principal est content comme cela !

— Et il ne demande pas non plus d'explications sur la disparition de miss Sainsbury Seale?

— Ça, c'est autre chose ! L'enquête continue. Il faut que cette femme-là soit quelque part ! On ne disparaît pas comme ça...

— On dirait que si !

— Morte ou vivante, elle est quelque part. Et, pour moi, elle n'est pas morte.

— Pourquoi non?

— Parce que nous aurions déjà retrouvé son corps.

— Tous les cadavres se récupèrent-ils si rapidement?

— Vous voulez sans doute insinuer qu'elle a été assassinée et que nous la découvrirons, un beau jour, au fond d'une carrière, hachée menu comme chair à pâté?

— Je n'insinue rien, mon cher ami. Il me semble seulement qu'il y a effectivement des personnes disparues dont on ne trouve jamais la trace.

— C'est très rare. Bien des femmes disparaissent, c'est entendu, mais nous finissons presque toujours par leur remettre la main dessus. Neuf fois sur dix, il s'agit d'une affaire d'amour. Elles étaient quelque part avec un homme. Je ne crois pas que ce soit le cas de notre Mabelle, deux L, E.

— On ne sait jamais, dit prudemment Poirot. Je vous accorde toutefois que c'est peu probable. En tout cas, vous êtes sûr de la dénicher un de ces jours?

— Absolument sûr. Son signalement est publié dans la presse et diffusé par la radio.

— Evidemment, ça peut donner quelque chose...

— Ne vous tracassez pas, mon vieux, conclut Japp. Nous vous la retrouverons, votre beauté, avec ses jolis dessous de laine, et tout, et tout !

Poirot remit l'appareil en place.

George, entré à pas de loup selon son habitude, disposait sur une petite table un pot de chocolat fumant et une assiette de gâteaux sucrés.

— George, dit Poirot, vous me voyez très perplexe !

— Vraiment, monsieur? J'en suis navré !

Poirot se versa une tasse de chocolat. Longuement, il tourna sans mot dire sa cuiller dans le liquide crémeux. George, attentif et respectueux, ne bougeait pas. Il y avait des moments où Hercule Poirot discutait ses enquêtes avec son valet de chambre, dont les vues lui étaient parfois précieuses. A certains signes qui eussent échappé à un domestique moins perspicace, George s'était rendu compte qu'un de ces moments approchait.

— Je pense, George, dit Poirot, que vous avez appris la mort de mon dentiste?

— Mr Morley, Monsieur? Oui, Monsieur. C'est très triste, Monsieur. Il s'est tiré une balle de revolver, je crois?

— C'est l'opinion générale. S'il ne s'est pas suicidé, on l'a assassiné.

— Oui, Monsieur.

— Et, si on l'a tué, la question est de savoir qui l'a tué.

— C'est très juste, Monsieur.

— J'ajoute, George, que *le nombre des personnes qui auraient pu le tuer est limité.* Seules peuvent être coupables les personnes qui se trouvaient dans la maison au moment de sa mort ou *celles qui auraient pu s'y trouver.*

— Certainement, Monsieur.

— Ces personnes, ce sont : une cuisinière et une femme de chambre, deux serviteurs dévoués, que j'écarterai sans hésiter; une sœur, qui l'aimait beaucoup, que j'imagine mal tuant son frère, mais qui hérite de lui, considération financière que nous ne pouvons nous permettre de négliger; un associé, intelligent et capable, qui aurait agi pour une raison que nous ignorons; un jeune groom assez obtus, qui a la tête farcie de romans policiers; et, enfin, un Grec aux antécédents passablement douteux.

George toussota.

— Avec ces étrangers, Monsieur...

— Je suis tout à fait de votre avis, George. Le Grec est un coupable tout désigné. Seulement, il se trouve que ce Grec est mort, lui aussi, apparemment tué par Mr Morley, sans que nous puissions dire si celui-ci l'a supprimé volontairement ou si c'est là le résultat d'une malheureuse erreur.

— Il est possible, Monsieur, que les deux hommes se soient tués réciproquement. On peut supposer que, tout en ignorant leurs intentions respectives, ils avaient, l'un et l'autre, des idées homicides qu'ils ont l'un et l'autre, mises à exécution.

Hercule Poirot approuvait par une succession de petits grognements.

— Très ingénieux, George, dit-il ensuite. Le dentiste assassine le malheureux gentleman qui s'est assis dans le fauteuil et il ne se rend pas compte qu'à ce même moment sa victime songe à l'instant, tout proche, où elle tirera son revolver de sa poche pour l'exécuter. Les choses auraient pu se passer ainsi, mais j'avoue que cette hypothèse ne me séduit pas. Au surplus, la liste de nos suspects n'est pas close. Il est encore deux personnes qui ont pu se trouver dans la maison au moment voulu. On a vu partir tous les malades qui ont précédé M. Amberiotis, à l'exception d'un seul, un jeune Américain, qui a bien quitté le salon d'attente vers midi moins vingt, mais que nul n'a vu sortir de la maison. Nous devons donc le classer parmi les possibles. Doit également figurer sur la liste un certain Mr Frank Carter, qui, lui, n'était pas un malade, mais qui est arrivé un peu après midi dans l'espoir de voir Mr Morley. Lui non plus, personne ne l'a vu se retirer. Voilà les faits, mon bon George. Qu'en pensez-vous?

— A quelle heure, Monsieur, le crime a-t-il été commis?

— Entre midi et midi vingt-cinq, si le coupable est M. Amberiotis. Si c'est quelqu'un d'autre, après midi vingt-cinq, car, plus tôt, M. Amberiotis aurait vu le cadavre.

George réfléchissait. Poirot l'encourageait du regard.

— Alors, George?

— Une chose me frappe, Monsieur...

— Oui?

— C'est qu'il va vous falloir, Monsieur, chercher un autre dentiste.

— George, s'écria Poirot, vous vous surpassez ! C'est là, en effet, une évidence dont je ne m'étais pas encore avisé.

George, ravi, quittait la pièce.

Poirot but son chocolat à petites gorgées, tout en réfléchissant aux faits qu'il venait de passer en revue. L'affaire se présentait bien comme il venait de la résumer à grands traits. L'assassin, quels que fussent ses mobiles, était nécessairement l'une des personnes dont il avait parlé.

Cette proposition à peine formulée, Poirot s'aperçut tout d'un coup que sa liste était incomplète : il avait oublié un nom.

Sans doute, il était bien improbable que ce fût celui de l'assassin.

Mais l'homme était dans la maison au moment du meurtre, il devait être porté sur la liste.

En dessous des autres, Hercule Poirot écrivit le nom de *Mr Barnes*.

X

— Monsieur, dit George, une dame demande à parler à Monsieur au téléphone !

Quelques jours plus tôt, Hercule Poirot s'était trompé en essayant de deviner le nom d'une dame qui lui rendait visite. Cette fois, son pronostic fut excellent : la voix qui frappa son oreille était celle-là même qu'il attendait.

— Monsieur Hercule Poirot?

— C'est moi-même.

— Jane Olivera à l'appareil. La nièce de Mr Alistair Blunt.

— Mes hommages, miss Olivera.

— Vous serait-il possible de venir jusque chez mon oncle? Vous y apprendriez, je pense, des choses qui vous intéresseraient.

— C'est faisable. Quelle heure vous conviendrait?

— Voulez-vous six heures et demie?

— Comptez sur moi !

— J'espère que je ne vous ai pas dérangé dans votre travail?

— Du tout, miss Olivera. J'attendais votre coup de téléphone.

Hercule Poirot posa l'appareil en souriant. Il se demandait quel prétexte Jane Olivera avait imaginé pour décider Alistair Blunt à le convoquer chez lui.

On ne le fit pas attendre et, dès son arrivée, on l'introduisit dans la vaste bibliothèque dont les fenêtres ouvraient sur la Tamise. Assis devant son bureau, Alistair Blunt jouait distraitement avec un coupe-papier. Il avait l'air harassé d'un homme que « ses » femmes importunent depuis un bon moment. Jane Olivera se tenait debout près de la cheminée, avec une femme d'un certain âge, petite et grasse, qui, au moment de l'entrée de Poirot, déclarait avec animation qu'on ne pouvait pas « ne pas tenir compte de son opinion sur le sujet ».

Alistair Blunt lui répondit qu'elle avait cent fois raison et se leva pour accueillir Poirot.

— Comme, maintenant, il va être question de toutes sortes d'horreurs, ajouta la brave dame, je crois que je vais me retirer.

— A ta place, maman, dit Jane Olivera, c'est ce que je ferais.

Suivant le conseil de sa fille, Julia Olivera sortit de la pièce avec majesté, sans paraître s'être aperçue de la présence de Poirot.

— Monsieur Poirot, dit Alistair Blunt, c'est très gentil à vous de vous être dérangé. Vous connaissez, je crois, miss Olivera? C'est elle qui m'a prié de vous faire signe...

— Il s'agit, expliqua Jane Olivera, de cette femme qui a disparu. Miss Je-ne-sais-plus-trop-quoi Seale...

— Miss Sainsbury Seale.

— C'est ça ! Comme nom prétentieux, on ne fait pas mieux ! Passons !... Qui est-ce qui parle, mon oncle, toi ou bien moi ?

— Il me semble que c'est à toi que ça revient !

Jane Olivera se tourna de nouveau vers Poirot.

— Il est possible, monsieur Poirot, dit-elle, que ce que je vais vous raconter soit sans importance, mais il m'a semblé que vous n'en deviez pas moins le connaître.

— Je vous écoute.

— La dernière fois que mon oncle est allé chez le dentiste — non pas l'autre jour, mais il y a trois mois —, je l'ai accompagné. Il était dans sa Rolls, qui devait ensuite me conduire chez des amis, dans Regent's Park, et venir le reprendre. La voiture s'est arrêtée devant le 58, Queen Charlotte Street, mon oncle est descendu et, juste à ce moment-là, une dame est sortie de la maison, une dame plus très jeune, avec des cheveux mal peignés et le genre artiste. Elle a piqué droit sur mon oncle et, d'une petite voix haut perchée, elle lui a dit : « Ah ! « monsieur Blunt ! Je suis sûre que vous ne vous « souvenez pas de moi ! » Naturellement, j'ai tout de suite vu à la figure de mon oncle qu'elle ne se trompait pas et qu'il ne se rappelait pas l'avoir jamais vue !

Alistair Blunt poussa un soupir.

— Il y a tant de gens qui m'abordent avec cette phrase prétexte !

— Mon oncle, poursuivit Jane Olivera, attendait la suite, avec un visage que je connais bien, un air de crédulité polie qui ne tromperait pas un bébé de trois ans. Avec un total manque de conviction, il déclara qu'il se souvenait fort bien de la dame, qui continua : « J'étais une grande amie de votre chère « femme ! »

— C'est encore une chose qu'on me dit souvent, remarqua Alistair Blunt d'une voix désabusée. La suite varie peu. C'est toujours ce qu'on appelle un « tapage ». Cette fois-là, je m'en suis tiré avec cinq livres données à je ne sais quelle Mission de Zenana. Ce n'était pas cher !

— Avait-elle vraiment connu votre femme? demanda Poirot.

— C'est bien difficile à dire, répondit Blunt. Le fait que cette dame s'intéressait aux Missions de Zenana me donnerait à croire que, si elle avait connu ma femme, ç'aurait été aux Indes, où nous nous trouvions il y a une dizaine d'années. De toute façon, elle ne pouvait avoir été une grande amie de Rebecca. Sinon, je l'aurais connue, moi aussi. Sans doute avait-elle rencontré ma femme dans quelque salon...

— Pour moi, dit Jane Olivera, elle n'avait jamais vu ma tante. Seulement, il lui fallait un prétexte pour vous parler...

— C'est très possible !

Il y avait dans le ton beaucoup d'indulgence.

— En tout cas, reprit Jane Olivera, je trouve, moi, que cette façon d'essayer de lier connaissance avec vous est bien singulière !

Blunt haussa les épaules.

— Elle voulait ma souscription, voilà tout !

— Est-elle revenue à la charge par la suite? demanda Poirot.

— Non, fit Blunt. Je n'ai plus entendu parler d'elle et j'avais même oublié son nom quand Jane le découvrit dans le journal.

Jane Olivera conclut sans grande conviction :

— Quoi qu'il en soit, j'ai pensé, monsieur Poirot,

que c'était un petit fait que vous deviez connaître.

Poirot se levait.

— Je vous remercie, miss Olivera, et je me retire. Car je sais, monsieur Blunt, que vous êtes très occupé.

— Je vous reconduis, dit Jane.

Hercule Poirot sourit dans ses moustaches.

Ils descendirent côte à côte le grand escalier. Au rez-de-chaussée, Jane Olivera invita Poirot à bien vouloir entrer dans une petite pièce ouvrant sur le hall.

La porte fermée, elle le regarda bien dans les yeux et dit :

— Que vouliez-vous dire, tout à l'heure, en me déclarant que vous attendiez un coup de téléphone de moi?

Poirot écarta les deux mains, les paumes levées.

— Simplement, ce que j'ai dit, répondit-il avec un sourire. J'attendais de vous un coup de téléphone... et il est venu !

— Vous saviez que je vous téléphonerais à propos de cette dame Sainsbury Seale?

Poirot, de la tête, fit signe que non.

— Ça, expliqua-t-il, c'était un prétexte. Au besoin, vous en auriez trouvé un autre.

— Mais pourquoi diable me prêtiez-vous l'intention de vous téléphoner?

— Voulez-vous me dire, ce petit renseignement relatif à Mrs Sainsbury Seale, pourquoi c'est à moi que vous avez voulu le donner, et non pas, ainsi qu'il eût été naturel, à Scotland Yard?

— Très bien, monsieur Je-sais-Tout, très bien ! Que savez-vous exactement?

— Je sais, répondit Poirot, que vous vous intéressez à moi depuis que vous avez appris que j'ai fait une visite, l'autre jour, à quelqu'un qui réside au Holborn Palace Hotel.

Elle le regardait avec une stupeur qui n'était pas feinte. Elle avait changé de couleur. Jamais Poirot n'aurait cru qu'une peau si brune pût paraître si verte.

— Vous m'avez fait venir ici, poursuivit-il, très calme, parce que vous vouliez savoir ce que j'avais dans le ventre. Vous me pardonnerez l'expression ! Ce que vous voudriez connaître, c'est ce que je sais de Mr Howard Raikes.

— Je ne sais pas de qui vous parlez !

Négligeant cette affirmation, lancée sans grand espoir, Poirot continuait :

— Je vous éviterai la peine de me poser les questions habiles auxquelles vous avez sans doute songé. Je vous dirai ce que je sais ou, plutôt, ce que j'ai deviné. La première fois que je suis venu ici, avec l'inspecteur Japp, vous avez été surprise de nous voir... et très inquiète. Vous avez tout de suite pensé qu'il était arrivé quelque chose à votre oncle. Pourquoi ?

— Mon Dieu, parce qu'il est de ces gens à qui des choses peuvent arriver ! Un jour, après je ne sais plus quel emprunt balkanique, il a reçu une bombe par la poste. Et c'est souvent qu'il trouve dans son courrier des lettres de menaces.

— L'inspecteur-chef Japp, reprit Poirot, vous a dit alors qu'un dentiste, Mr Morley, avait été assassiné. Vous souvenez-vous de votre réponse ? Vous avez dit : « *Mais c'est stupide !* »

Elle se mordait la lèvre.

— J'ai dit ça ? fit-elle. C'est surtout la réflexion qui était stupide !

— Elle m'a paru plus curieuse que stupide. Elle révélait que vous connaissiez l'existence de Mr Morley et que vous vous attendiez à ce que quelque chose arrivât, non pas à lui, mais probablement chez lui...

— Vous aimez vous raconter des histoires, n'est-ce pas?

Poirot, sans faire attention, poursuivit :

— Ce quelque chose qui devait se produire dans la maison de Morley, vous l'attendiez ou, plus exactement, vous le redoutiez. En nous voyant, vous avez eu peur qu'il ne fût arrivé quelque chose à votre oncle. C'est donc que *vous saviez quelque chose que nous ignorions*. J'ai passé en revue les gens qui s'étaient rendus ce matin-là au 58, Queen Charlotte Street, et j'ai découvert du premier coup la seule personne avec laquelle vous pouviez raisonnablement être en relation : c'est ce jeune Américain dont nous parlions à l'instant, Mr Howard Raikes.

— C'est passionnant comme un feuilleton ! J'attends avec impatience l'épisode suivant.

— Je suis allé voir Mr Howard Raikes. C'est un homme qui doit avoir une certaine séduction et qui est dangereux...

Il n'en dit pas plus. Il regardait avec attention le visage de la jeune fille. Elle était songeuse. Au bout d'un instant, elle sourit.

— J'abandonne, dit-elle. Monsieur Poirot, vous avez gagné ! Je mourais de peur, c'est vrai !

Sérieuse maintenant, elle continuait :

— Monsieur Poirot, je vais vous dire certaines choses, que je préfère vous raconter moi-même, car je me rends compte que vous finiriez par les découvrir. Cet homme, cet Howard Raikes, je l'aime. A en devenir folle. C'est pour m'éloigner de lui que ma mère m'a emmenée en Europe. Du moins, c'est une des raisons de notre séjour, l'autre étant qu'elle espère que, me connaissant, l'oncle Alistair me laissera sa fortune. La mère de maman était la sœur de Rebecca Arnholt et je ne suis que la petite-nièce d'Alistair Blunt, mais il n'a pas de plus proches parents. Et puis, je suis franche avec vous, monsieur Poirot, maman est comme ça ! Nous sommes très, très riches — odieusement riches, pour parler comme Howard —, mais notre fortune n'est rien à côté de la sienne et maman me verrait très bien son unique héritière !

Elle se tut un instant, réfléchissant. Puis, elle reprit :

— Comment vous faire comprendre? Les idées dans lesquelles j'ai été élevée, Howard les déteste et voudrait pouvoir les anéantir. Et, quelquefois, je pense comme lui ! J'aime beaucoup mon oncle Alistair, mais il y a des moments où il m'exaspère ! Il est tellement bourgeois, tellement prudent, tellement Anglais ! Il m'arrive de me dire qu'il est de ces êtres qui font obstacle au progrès, de ceux qui doivent nécessairement disparaître si l'on veut pouvoir faire quelque chose.

— Mr Raikes, semble-t-il, vous a converti à ses idées !

— Oui... et non ! Howard va plus loin que presque tout le monde. Mais bien des gens sont d'accord avec lui jusqu'à un certain point, bien des gens qui estiment qu'on pourrait tenter quelque chose avec l'oncle Alistair et ses pareils, si ceux-ci étaient d'accord !... Seulement, ils ne voudront jamais ! Ils restent sagement assis dans leurs fauteuils, ils hochent la tête et ils disent : « Nous ne pouvons pas risquer « ça ! » ou : « Economiquement, cela ne tient pas « debout ! » ou : « Nous devons tenir compte de nos « responsabilités ! » ou encore : « N'oubliez pas les « leçons de l'Histoire !... » Or, c'est justement ce qu'il faut faire ! L'Histoire, c'est du passé ! On ne la voit qu'en se retournant en arrière. Et c'est en avant qu'il faut regarder !

— C'est intéressant, ce qu'on voit?

D'un ton de reproche, elle répondit :

— Vous parlez comme l'oncle Alistair !

— C'est peut-être parce que je suis vieux, fit-il.

Un silence suivit. Puis, d'une voix très différente, la voix un peu sèche qu'il prenait pour interroger, Poirot demanda pourquoi Howard Raikes avait tenu à avoir ce matin-là rendez-vous chez Mr Morley.

— C'était une idée de moi, déclara Jane Olivera. Je voulais qu'il rencontrât l'oncle Alistair et je n'avais pas trouvé d'autre moyen. Il m'avait dit sur mon oncle des choses si méchantes et si injustes, il avait parlé de lui avec une telle... oui, avec une telle haine que j'avais voulu faire quelque chose. J'étais sûre que ses sentiments changeraient s'il voyait mon oncle, ne fût-ce qu'une fois. Il ne pouvait pas ne pas découvrir que l'oncle Alistair est un brave homme, simple comme tout, gentil, sympathique. Or, organiser une rencontre ailleurs, c'était impossible, à cause de maman, qui aurait tout gâché...

— Et, demanda Poirot, c'est parce que vous aviez arrangé cette rencontre que vous avez eu peur?

— Oui, murmura-t-elle, baissant le front. Parce que, quelquefois, Howard se laisse emporter. Il... Il...

Poirot vint à son aide.

— Il se prononce pour l'action directe. Quand on veut détruire, anéantir, exterminer...

Elle l'interrompit d'un cri.

— Ne dites pas ça, monsieur Poirot, je vous en supplie !

CHAPITRE IV

SEPT, HUIT, JE LES METS BIEN DROIT...

I

Le temps passait. Il y avait plus d'un mois que Mr Morley était mort et l'on était toujours sans nouvelles de miss Sainsbury Seale.

Japp, quand il y pensait, se mettait régulièrement en colère. Ce jour-là, après avoir préludé d'un juron, il s'écria :

— Enfin, Poirot, cette femme, il faut qu'elle soit quelque part !

— Ça, mon cher ami, c'est incontestable !

— Ou elle est morte, ou elle est vivante ! Si elle est morte, où est le corps? Supposons qu'elle se soit suicidée...

— Encore un suicide?

— Ne revenons pas là-dessus ! Vous continuez à croire qu'on a assassiné Morley, je reste convaincu, moi, qu'il s'est lui-même donné la mort.

— Vous ne savez toujours pas où il s'était procuré son revolver?

— Non. C'était une arme étrangère.

— Détail intéressant.

— Pas dans le sens où vous l'entendez ! Morley avait voyagé. Il faisait des croisières, avec sa sœur, et il peut très bien avoir acheté ce revolver au cours d'une escale. En voyage, les gens se laissent souvent tenter par les armes. Ça leur donne l'illusion qu'ils mènent une vie dangereuse.

Poirot écoutait, manifestement sceptique.

— Mais, poursuivit Japp, ne nous égarons pas ! Je disais — attention, c'est une simple supposition ! — que, si cette satanée bonne femme s'est suicidée, si, par exemple, elle s'est fichue à l'eau, son corps, à l'heure qu'il est, devrait être retrouvé. Il en va de même, d'ailleurs, si elle a été assassinée.

— A moins, objecta Poirot, qu'on n'ait lesté le cadavre d'un poids quelconque avant de le jeter dans la Tamise...

— Par une nuit sans lune, quelque part du côté de Limehouse? Vous parlez, mon cher Poirot, comme une dame qui écrit des romans-feuilletons !

— Je sais ! Et, ces choses, je ne les dis pas sans rougir !

— Naturellement, c'est une bande de malfaiteurs internationaux qui se serait occupée d'elle?

Poirot exhala un soupir et dit :

— On m'assurait tout récemment encore que des bandes de ce genre existaient.

— Qui, « on »?

— Mr Reginald Barnes, Castlegardens Road, à Ealing.

Japp, à son tour, affichait quelque scepticisme.

— Il doit le savoir, dit-il sur un ton ironique. Quand il était au ministère de l'Intérieur, il avait assez d'étrangers à surveiller.

— On dirait que vous n'êtes pas d'accord?

— Ce n'est pas mon rayon. Je ne prétends pas que ces associations internationales n'existent pas, mais je tiens qu'en général elles ne sont pas bien dangereuses.

Poirot se tortillait la moustache.

Comme il ne semblait pas vouloir parler, Japp reprit :

— Nous avons recueilli, concernant miss Sainsbury Seale, quelques petites informations supplémentaires. Elle est revenue des Indes sur le même bateau qu'Amberiotis. Comme elle voyageait en seconde classe et lui en première, c'est probablement une simple coïncidence. Pourtant, un des garçons du Savoy croit qu'elle a déjeuné une fois avec lui, au Savoy, bien entendu, une huitaine de jours avant la mort d'Amberiotis.

— De sorte qu'il se pourrait tout de même qu'ils aient été en relation?

— C'est possible, mais ça me paraît peu probable. Je ne vois pas une dame qui s'occupe de bonnes œuvres et de missions mêlée à des combinaisons douteuses !

— D'où je conclus que notre ami Amberiotis s'intéressait à ce que vous appelez des « combinaisons douteuses »?

— Là-dessus, aucun doute ! Il était en liaison étroite avec des organisations d'espionnage.

— Vous en êtes sûr?

— Absolument. Il laissait aux autres le vilain travail et nous aurions été bien incapables de le pincer. Il dressait des plans de campagne, il distribuait la besogne, il recevait des rapports. Tout ça, nous en sommes certains. Mais, en ce qui concerne notre disparue, ça ne nous donne rien. Je ne la vois pas dans un truc comme ça !

— N'oubliez pas qu'elle a vécu aux Indes. Il y a eu des troubles par là, ces dernières années!

— Une association entre Amberiotis et miss Sainsbury Seale, je n'imagine pas ça !

— Savez-vous que miss Sainsbury Seale aurait été une grande amie de la défunte Mrs Alistair Blunt?

— On vous a dit ça? Je n'en crois pas un mot! Elles n'étaient pas du même monde !

— Je rapporte ce qu'a dit miss Sainsbury Seale.

— Ce qu'elle a dit à qui?

— A Alistair Blunt lui-même.

— J'ai compris! C'est un vieux truc et Blunt doit avoir souvent rencontré ainsi de prétendues amies de sa défunte épouse. Quant à supposer qu'Amberiotis aurait pu songer à l'utiliser de cette façon, non! Ça n'aurait pas marché. Blunt se serait débarrassé d'elle avec une subvention quelconque, mais il ne l'aurait pas invitée à venir passer le week-end dans sa propriété ! Il ne faut tout de même pas le prendre pour un imbécile !

Poirot, que cette tentation n'avait jamais effleuré, approuva gravement. Peu après, Japp reprenait une nouvelle fois l'examen de la situation. Que pouvait bien être devenue miss Sainsbury Seale?

— Bien sûr, son cadavre pourrait avoir été immergé dans une baignoire pleine d'acide par un savant atteint d'aliénation mentale! Dans les livres, c'est souvent ainsi qu'on se débarrasse des corps qui deviennent encombrants. Il se trouve que c'est encore une hypothèse qui ne m'agrée pas! Pour moi, si elle est morte, on l'a tranquillement enterrée quelque part.

— Oui, mais où?

— C'est ce que je me demande. C'est à Londres qu'elle a disparu. A Londres, il n'y a pas de jardin. Du moins, pas de jardin digne de ce nom et permettant de petites funérailles discrètes et privées. Ce que nous cherchons, c'est un grand jardin, une cour de ferme...

Un jardin! Poirot revit tout d'un coup le beau jardin qu'il avait admiré à Ealing, avec ses pelouses symétriques et ses massifs parfaitement entretenus. Il serait fantastique qu'une femme fût enterrée *là*! L'idée l'amusait, mais il en reconnaissait l'absurdité.

Japp, cependant, continuait :

— Admettons, maintenant, qu'elle ne soit pas morte. Alors, où est-elle? Elle a disparu depuis plus d'un mois, son portrait a été publié dans tous les journaux...

— Et personne ne l'a vue?

— Dites plutôt que tout le monde l'a vue! Vous n'imaginez pas le nombre de femmes dont le signalement correspond à celui de miss Sainsbury Seale qui circulent actuellement sur le territoire britannique! On l'a rencontrée dans les landes du Yorkshire, dans des pensions du Devon, dans des hôtels de Liverpool et sur la plage de Ramsgate! Mes hommes ont patiemment enquêté partout où miss Sainsbury Seale a été aperçue. Ils y ont gagné de se faire insulter par pas mal de vieilles filles très respectables, encore que fanées, mais ils n'ont rien appris!

Le visage de Poirot exprimait une sympathie attristée.

— Et pourtant, poursuivait Japp d'une voix qui proclamait son exaspération, miss Sainsbury Seale n'est pas un fantôme. Quelquefois, on nous donne à retrouver une quelconque miss Spinks, qui est arrivée quelque part un beau jour, venant on ne sait d'où, et qui s'est évanouie quinze jours plus tard sans laisser de traces. Cette miss Spinks à l'existence éphémère, c'est ce que j'appelle un fantôme ! Mais notre Sainsbury Seale est tout ce qu'il y a d'authentique ! Elle a un passé, son enfance m'est connue, et toute sa vie, jusqu'au jour où, comme par magie, elle se volatilise !

— Il doit y avoir une raison, dit Poirot.

— Si c'est une façon d'insinuer qu'elle a tué Morley, répliqua Japp, je réponds : « Non ! »... Amberiotis a vu Morley vivant après le départ de miss Sainsbury Seale et nous savons ce qu'elle a fait en quittant Queen Charlotte Street.

Poirot eut un geste d'impatience.

— Je ne prétends pas qu'elle a assassiné Morley. Je suis sûr que non. Pourtant...

Japp l'interrompit :

— Je sais. Si vous avez raison pour Morley, on pourrait admettre qu'il lui a dit quelque chose qui, sans qu'elle s'en doutât, aurait pu nous mettre sur la piste du meurtrier. D'où nécessité de la faire disparaître !

— Ce qui suppose, fit remarquer Poirot, une organisation d'envergure, une vaste association, un peu disproportionnée à son objet : la mort d'un simple petit dentiste de Queen Charlotte Street.

— N'accordez donc pas tant de crédit à ce que vous raconte Reginald Barnes ! C'est un vieux fou qui a la tête un peu dérangée par ses espions et ses révolutionnaires.

Japp s'était levé.

Il se retira après avoir promis à Poirot de le tenir au courant s'il avait des nouvelles.

Poirot resta songeur, devant sa table. Il avait nettement le sentiment d'attendre quelque chose, mais il eût été incapable de dire quoi. Quelque temps plus tôt, il s'était assis devant cette même table, pour noter sur une feuille de papier quelques noms et des faits que rien ne paraissait relier entre eux. Un oiseau s'était un instant posé sur le rebord de la fenêtre. Il portait dans son bec une brindille.

Lui aussi, comme l'oiseau, il avait ramassé des brindilles. *Cinq, six, je ramasse des bouts de bois...*

Des brindilles, il commençait à en avoir beaucoup. Toutes placées en réserve dans un coin de sa mémoire, où il les retrouverait quand il le faudrait. Jusqu'à présent il n'avait pas encore essayé de les classer, de les ordonner. Ça viendrait...

Pourquoi ne s'y mettait-il pas dès maintenant? Il le savait : *il attendait quelque chose.*

Quelque chose d'inévitable.

Quand ce quelque chose se sera produit, *alors,* mais alors seulement, le moment sera venu de se mettre à l'œuvre.

II

Huit jours plus tard, à la fin de la soirée, Japp téléphona. Sa voix était rapide et pressée.

— C'est vous, Poirot? *Nous l'avons trouvée!* Venez nous rejoindre! King Leopold Mansions, Battersea Park, au 45.

Moins d'un quart d'heure après, un taxi déposait Poirot devant un grand immeuble dont les fenêtres ouvraient sur Battersea Park. Le 45 était au second étage et c'est Japp lui-même qui ouvrit la porte à Poirot. Il avait l'air sombre.

— Venez, dit-il. Le spectacle n'est pas particulièrement agréable, mais je pense que vous tenez à la voir...

Poirot demanda, mais c'était à peine une question :

— Morte?

— Et pas qu'un peu!

Un bruit singulier, mais assez facilement identifiable, attira l'attention de Poirot.

— C'est le concierge, expliqua Japp. Il est à la cuisine, le cœur un peu soulevé. Je lui ai demandé de monter pour identifier la victime.

Une odeur nauséabonde flottait dans l'étroit couloir qu'ils suivaient. Les narines de Poirot se pincèrent.

— C'est assez écœurant, dit Japp, mais il fallait s'y attendre ! Elle est morte depuis plus d'un mois !

Ils entrèrent dans une chambre nue, manifestement un débarras. Au milieu de la pièce, il y avait une grande malle, analogue à celles dont on se sert pour conserver les fourrures. Le couvercle était levé.

Poirot s'approcha et regarda à l'intérieur.

Il vit d'abord un pied. Il reconnut la boucle qui ornait la mauvaise chaussure, cette boucle qu'il avait remarquée le jour où, devant le 58, Queen Charlotte Street, il avait rencontré miss Sainsbury Seale pour la première fois. Ses regards remontèrent le long d'une robe de laine verte et arrivèrent enfin à la tête.

Poirot ne put se défendre d'un petit mouvement de recul. Le visage semblait avoir été tellement battu qu'il n'était plus qu'une bouillie informe, plus horrible encore du fait de la décomposition des chairs, déjà très avancée.

Les deux hommes se retirèrent rapidement. Ils étaient tous deux très pâles.

— Bah ! s'écria Japp. Ces petites joyeusetés font partie de notre programme de tous les jours. Le métier ne peut pas toujours être drôle ! Venez par là, j'ai repéré une bouteille de cognac. Un verre de fine ne nous fera pas de mal !

La pièce, une espèce de studio, était meublée avec élégance, mais dans une note d'un modernisme très affirmé : meubles en tubes d'acier, fauteuils très larges recouverts d'une tapisserie aux dessins géométriques.

Poirot se servit un verre de cognac, puis, un peu réconforté, demanda des explications.

— Voici, dit Japp. Nous nous trouvons actuellement dans l'appartement d'une certaine Mrs Chapman. D'après les renseignements que j'ai recueillis, cette Mrs Chapman est une jolie blonde, assez bien rembourrée, qui avoisine la quarantaine. Elle paie régulièrement ses factures, joue au bridge de temps à autre chez des amis, mais, dans l'ensemble, ne sort pas énormément. Elle n'a pas d'enfants et son mari est voyageur de commerce.

« Miss Sainsbury Seale est venue ici le soir du jour où nous l'avons vue. Elle est arrivée vers sept heures et quart, ce qui laisse supposer qu'elle venait directement du Glengowrie Court. Le concierge, qui l'avait déjà vue quelque temps auparavant, l'a reconnue. Elle venait en visite, tout simplement, et *a priori*, il n'y a là-dedans rien de suspect. Le concierge est monté avec elle dans l'ascenseur et, quand il l'a vue pour la dernière fois, elle avait le doigt sur le bouton de sonnette.

— Entre nous, fit remarquer Poirot, il a mis du temps à se le rappeler!

— Il paraît, répondit Japp, qu'il a été malade et qu'il a dû faire un petit séjour à l'hôpital, durant lequel il a été remplacé. C'est seulement la semaine dernière qu'il a trouvé dans un vieux journal, la note que nous avons fait publier, donnant le signalement de la disparue Il a d'abord dit à sa femme : « Ça pour-
« rait bien être la vieille fille qui est venue, l'autre
« jour, voir Mrs Chapman. Elle était en vert et elle
« avait des boucles à ses souliers. » Et puis, une heure après, il s'est souvenu du nom... ou presque.

« Mais il me semble bien, a-t-il dit à sa femme,
« qu'elle avait un nom comme ça ! Miss quelque chose
« Seale ! »

« Il ne lui a plus fallu, ensuite, que quatre jours pour surmonter son aversion naturelle contre les policiers et nous apporter le renseignement. Je me méfiais. On nous a tant de fois dérangés pour rien ! Pourtant, je passai le tuyau à Beddoes. C'est un jeune sergent assez brillant. Un peu trop bien élevé, peut-être, mais on n'y peut rien. Et, d'ailleurs, c'est la mode maintenant...

« Il a tout de suite senti que, cette fois, nous étions sur la bonne piste. On n'avait pas vu cette dame Chapman depuis plus d'un mois et elle était partie sans laisser d'adresse. Que le concierge n'eût pas vu miss Sainsbury Seale s'en aller, c'était normal. Elle pouvait très bien être passée devant la loge sans qu'il s'en aperçût. Ce qui, par contre, n'était pas normal, c'était ce brusque départ de Mrs Chapman. Elle n'avait prévenu personne et le concierge ne devait l'apprendre que le lendemain matin, par l'écriteau qu'elle avait accroché à sa porte : *Pas besoin de lait. Dites à Nellie que j'ai dû m'absenter.* Nellie, c'est la petite bonne qui venait chez elle tous les matins. Comme, une fois ou deux déjà, il était arrivé à Mrs Chapman de filer sans avertir, la petite ne trouva pas la chose bizarre. Mais, ce qui était étrange, c'était qu'elle fût partie sans demander au concierge de lui descendre sa valise ou d'aller lui chercher un taxi.

« Tout ça justifiait une visite à l'appartement. Nous avons demandé un mandat, le gérant nous a remis les clés et nous sommes venus faire un tour. C'est seulement dans la salle de bains que les choses ont commencé à devenir intéressantes. Elle semblait avoir été lavée à grande eau et en toute hâte : on avait bien nettoyé le linoléum du parquet, mais, dans les coins, on avait laissé des taches de sang. Il ne restait plus qu'à trouver le corps. Si Mrs Chapman était partie avec des bagages, le concierge l'aurait su. Donc, le cadavre était *nécessairement* dans l'appartement. Nous avons bientôt remarqué cette malle à fourrures, nous l'avons ouverte avec des clés ramassées dans un tiroir... et vous savez la suite : la dame était dedans !

— *Quid* de Mrs Chapman? demanda Poirot.

— Je sais, répondit Japp, qu'elle s'appelle Sylvia, mais je ne puis rien ajouter d'autre. Excepté que c'est elle qui a tué miss Sainsbury Seale et qui l'a mise dans la malle. Elle ou des amis à elle, bien entendu...

— Mais pourquoi l'a-t-on frappée jusqu'à la défigurer complètement? C'est horrible !

— Pour être horrible, dit Japp, c'est horrible ! Quant à expliquer pourquoi on l'a frappée ainsi, on ne peut guère que se livrer à des suppositions ! Simple sauvagerie, je pense. A moins qu'on n'ait voulu la défigurer pour nous empêcher de la reconnaître...

Poirot fronça le sourcil.

— Je n'ai pas cette impression.

— D'ailleurs, ajouta Japp, on lui a laissé ses vêtements, dont nous possédions une description très précise, et on avait fourré dans la malle, à côté d'elle, son sac à main, contenant une vieille lettre à elle adressée à son ancien hôtel, dans Russel Square.

— Mais, s'écria Poirot, tout ça n'a pas le sens commun !

— C'est bien mon avis. Il arrive aux criminels de commettre des erreurs...

— Oui, mais...

Poirot n'acheva pas sa phrase. Une idée venait de lui venir à l'esprit.

— Vous avez perquisitionné dans tout l'appartement? demanda-t-il.

— Oui, répondit Japp. La visite ne nous a rien appris de sensationnel.

— J'aimerais voir la chambre à coucher de Mrs Chapman.

— Venez !

Rien, dans cette chambre, n'évoquait un départ précipité. Aucun désordre. On n'avait pas couché dans le lit, mais la couverture était faite. Il y avait sur les meubles une épaisse couche de poussière.

— Je n'ai aperçu d'empreintes digitales nulle part, dit Japp, sauf à la cuisine, sur différents ustensiles. Celles de la petite bonne, très probablement...

— Ce qui semblerait indiquer qu'on a bien pris la précaution de les effacer après le crime?

— C'est ce que je crois.

Poirot promena un regard circulaire sur la pièce. Comme le studio, elle était meublée de façon très moderne, mais sans luxe véritable. Certains meubles « faisaient de l'effet », mais aucun d'eux n'avait coûté très cher. Poirot ouvrit un placard et examina les vêtements de femme pendus à l'intérieur. Ils étaient élégants, mais ne sortaient pas de chez un grand couturier. Il y avait également des chaussures qu'il regarda de près, notant que Mrs Chapman portait du 36 et qu'elle aimait les souliers à énormes semelles, imposés par une mode assez récente.

Il ouvrit un second placard, dans le bas duquel s'empilait un monceau de fourrures.

— Elles ont, évidemment, été retirées de la malle, dit Japp.

Poirot examinait un manteau d'écureuil.

— Très belles peaux, fit-il.

Quittant la chambre à coucher, il passa dans la salle de bains. Il y avait là un étonnant assortiment de flacons et de pots divers : des crèmes de beauté, des poudres, du rouge. Deux bouteilles de teinture pour les cheveux retinrent particulièrement l'attention du détective.

— Il ne semble pas, fit remarquer Japp, que Mrs Chapman soit une blonde platinée très authentique.

— A quarante ans, mon cher, dit Poirot, la plupart des femmes commencent à avoir des cheveux gris. Mrs Chapman est sans doute de celles qui refusent de s'incliner devant les lois de la nature...

— A l'heure qu'il est, elle est probablement devenue rousse.

— C'est ce que je me demande !

Poirot semblait soucieux.

— Poirot, fit Japp, il y a quelque chose qui vous tracasse ! Qu'est-ce que c'est?

— C'est simplement, répondit Poirot, que j'ai découvert un problème qui me paraît insoluble.

Résolument, il entraîna l'inspecteur dans la pièce où se trouvait le corps. Prenant dans sa main l'un des pieds de la morte, il réussit non sans peine à lui retirer son soulier. Il l'examina longuement. La boucle avait été recousue, avec une évidente maladresse.

— Je me demande si je rêve ! dit Poirot, avec un soupir.

Japp posait sur le petit homme un regard soupçonneux.

— Qu'est-ce que vous êtes en train d'inventer? demanda-t-il. Vous cherchez encore à compliquer le problème?

— Vous l'avez dit !

Japp haussa les épaules.

— Vous avez là un soulier, complet, avec sa boucle. Qu'est-ce qui vous chiffonne là-dedans?

— Rien du tout, fit Poirot. Seulement, tout de même, je ne comprends pas !

III

D'après le concierge, la meilleure amie de Mrs Chapman était Mrs Merton, 82, King Leopold Mansions.

Japp et Poirot allèrent la voir sans attendre.

Ils trouvèrent une dame aux yeux très noirs et à la chevelure compliquée, très bavarde, et qui ne demandait qu'à parler.

— Sylvia Chapman? dit-elle. Bien sûr, je la connais ! Nous ne sommes pas ce qu'on peut appeler des amies intimes, mais nous avons plusieurs fois joué au bridge ensemble, il nous est souvent arrivé d'aller au cinéma ensemble, et c'est souvent que nous avons couru les magasins. Mais, dites-moi, vous êtes bien sûrs qu'elle n'est pas morte, n'est-ce pas?

Japp l'ayant rassurée, elle reprit :

— Cela me fait bien plaisir. Je vous posais la question parce que le facteur venait de me raconter que l'on avait trouvé un cadavre de femme dans un appartement d'un immeuble voisin. On a raison de dire qu'il ne faut croire que la moitié de ce que l'on entend.

Japp posa une question précise.

— Non, répondit-elle, je n'ai pas eu de nouvelles de Mrs Chapman. Elle ne m'a pas donné signe de vie depuis le jour où nous avions parlé d'aller, la semaine suivante, voir le nouveau film de Fred Astaire. Elle n'avait pas fait allusion, ce jour-là, à un prochain voyage...

Mrs Merton n'avait jamais entendu parler d'une

miss Sainsbury Seale. Jamais Mrs Chapman ne l'avait nommée devant elle.

— Et, pourtant, ajouta-t-elle, le nom me dit quelque chose ! Il me semble que je l'ai vu quelque part, il n'y a pas longtemps !

— Il a été dans tous les journaux, ces temps-ci, dit Japp.

— Vous avez raison, s'écria Mrs Merton. C'est cette dame qui a disparu ! Vous pensez que Mrs Chapman la connaissait?... Je ne crois pas. En tout cas, jamais elle ne m'a parlé d'elle !

— Pouvez-vous nous dire quelque chose de Mr Chapman, madame Merton?

La question parut surprendre Mrs Merton.

— Il me semble, répondit-elle, qu'il est représentant de commerce. C'est, je crois, ce que m'a dit Sylvia. Il voyage à l'étranger, pour une fabrique d'armes, si je ne me trompe pas. Il fait toute l'Europe.

— L'avez-vous jamais rencontré?

— Jamais ! Il revenait rarement à Londres et, quand il était là, Mrs Chapman délaissait un peu ses amies. C'est bien naturel !

— Savez-vous si Mrs Chapman avait des parents à Londres et d'autres amis?

— Des amis, si elle en avait, je ne les connais pas. Quant aux parents, je ne crois pas qu'elle en ait. En tout cas, elle ne m'a jamais parlé d'eux.

— A-t-elle été aux Indes?

— Pas que je sache !

Il y eut un silence. Puis à son tour, Mrs Merton interrogea :

— Mais, dites-moi, pourquoi me posez-vous ces questions? Vous êtes de Scotland Yard, je l'ai bien compris, mais, pour que vous me demandiez tout cela, il doit y avoir une raison !

— Mon Dieu! madame Merton, comme vous finirez toujours par l'apprendre, je ne vous cacherai pas qu'on a trouvé un cadavre dans l'appartement de Mrs Chapman.

La stupeur rendit la brave dame muette pendant quelques secondes.

— Un cadavre! s'écria-t-elle ensuite. Ce n'est pas celui de Mrs Chapman, j'espère? Ou celui d'un étranger?

— Non. D'ailleurs, il s'agit d'une femme...

— Une femme!

Mrs Merton semblait de plus en plus stupéfaite.

— Chère madame, dit Poirot de sa voix la plus douce, pourquoi pensiez-vous qu'il s'agissait d'un homme?

— Je ne sais pas! Ça me paraissait plus normal...

— Pourquoi?... Serait-ce parce que Mrs Chapman avait l'habitude de recevoir des messieurs?

Mrs Merton protesta d'un ton indigné.

— Non! Je n'ai jamais voulu dire ça!... Sylvia Chapman n'était pas de ces femmes-là!... Seulement, étant donné que Mr Chapman... Je veux dire que...

La suite ne venait pas.

— Chère madame, reprit Poirot, je crois que vous en savez plus que vous avez bien voulu nous en dire.

Elle se tourna vers lui.

— La vérité, dit-elle avec quelque embarras, c'est que je ne sais pas ce que je dois faire. Je ne voudrais pas trahir un secret et, cette confidence que m'a faite Mrs Chapman, je ne l'ai répétée à personne, sinon à deux ou trois intimes, dont je sais qu'ils sont sûrs...

Comme elle s'interrompait pour reprendre haleine, Japp intervint.

— Que vous a dit exactement Mrs Chapman?

Pour répondre, Mrs Merton baissa la voix.

— C'est un secret qui lui a presque échappé, un jour que nous étions allées au cinéma, pour voir un film d'espionnage. A la sortie, elle m'a dit que l'auteur du scénario connaissait mal ce dont il parlait et c'est alors qu'elle m'a appris, en me faisant jurer de ne le répéter à personne, que Mr Chapman appartenait à l'Intelligence Service. C'est pour cela qu'il voyageait tellement à l'étranger. La fabrique d'armes n'était qu'une couverture. Mr Chapman faisait de l'espionnage... et c'était terrible pour sa pauvre femme qui ne pouvait pas correspondre avec lui pendant ses absences. Et cela alors qu'il courait, vous le pensez bien, toutes sortes de dangers !

IV

Tout en redescendant l'escalier pour retourner à l'appartement de Mrs Chapman, Japp grommelait.

— Ombres de Phillips Oppenheim, de Valentine Williams et de William le Queux, s'écria-t-il, j'ai l'impression que je vais devenir fou !

Le sergent Beddoes attendait son chef, à qui il présenta son rapport, sur le ton respectueux qui convenait.

— Nous n'avons rien pu tirer d'utile de la petite bonne, exposa-t-il. Mrs Chapman, semble-t-il, changeait assez souvent de domestique et celle-ci n'était à son service que depuis un mois ou deux. Elle déclare que Mrs Chapman était une patronne agréable, aimant la radio et avec qui on pouvait causer. La petite croit que le mari était assez coureur, mais que Mrs Chapman ne s'en doutait pas. Elle recevait de temps en temps des lettres de l'étranger. La bonne se souvient de plusieurs venues d'Allemagne, de deux des Etats-Unis, d'une d'Italie, et d'une de Russie. Son amoureux fait collection de timbres et Mrs Chapman lui donnait ceux qui se trouvaient sur ses lettres.

— Vous n'avez rien découvert dans ses papiers?

— Non, monsieur, absolument rien! Elle ne gardait pas grand-chose. Quelques factures, quelques reçus, tous de Londres. Quelques vieux programmes de théâtre, deux ou trois recettes de cuisine découpées dans les journaux, et une notice sur les Missions de Zenana.

— Et je vois assez bien, ajouta Japp, qui l'a apportée. Bref, rien ne semble indiquer qu'elle a tué. Et pourtant, c'est probablement ce qu'elle a fait. Dans l'hypothèse la plus favorable, elle est au moins complice. Ce soir-là, on n'a pas vu des étrangers suspects rôder dans le voisinage?

— Le concierge ne se souvient pas en avoir remarqué aucun, mais il se peut qu'il ait oublié. Il passe énormément de monde devant sa loge, qui commande tout un groupe d'immeubles. S'il se rappelle exactement le jour de la visite de miss Sainsbury Seale, c'est parce qu'il a été transporté à l'hôpital le lendemain et que, ce soir-là déjà, il ne se sentait pas bien.

— Dans les appartements voisins, personne n'a rien entendu?

— Non, monsieur. Ni au-dessus ni en dessous. On n'a remarqué aucun bruit suspect. Mais j'ai cru comprendre que, dans les deux appartements, la radio marchait...

Le médecin légiste sortait de la salle de bains, où il était allé se laver les mains.

— Pas très ragoûtant, votre macchabée! s'écria-t-il

avec bonne humeur. Envoyez-le-moi quand vous voudrez, pour que je l'examine d'un peu près !

— Avez-vous une idée quelconque, docteur, sur les causes du décès?

— Impossible de vous fixer là-dessus avant d'avoir fait l'autopsie. Je crois que les blessures de la face sont postérieures à la mort, c'est tout ce que je puis dire pour le moment. Il s'agit d'une femme entre quarante et cinquante ans, qui devait être en bonne santé, et dont les cheveux grisonnaient. Elle se teignait. J'espère trouver sur le corps des marques distinctives, car, s'il n'y en a pas, il ne sera peut-être pas facile de l'identifier. Vous la connaissez?... Alors, c'est parfait?... Vous dites? C'est une femme disparue dont on a tant parlé?... Je m'excuse, mais je ne lis jamais les journaux ! Je me contente de faire les mots croisés.

Le médecin parti, Poirot ramassa sur un secrétaire un petit carnet d'adresses à couverture brune. L'infatigable sergent Beddoes, qui suivait ses mouvements, le renseigna.

— Je n'y ai rien trouvé d'intéressant. Des adresses de coiffeurs, de couturiers, etc. J'ai noté les noms et adresses des particuliers...

Poirot ouvrit le carnet à la lettre D.

Inscrit en haut de la page, le nom du docteur Davis, 17, Prince Albert Road, précédait ceux de Drake et Pomponetti, poissonniers. Sur la ligne suivante, Poirot lut : « Dentiste, Mr Morley, 58, Queen Charlotte Street. »

Une lueur passa dans l'œil du détective :

— Je commence à croire, dit-il, qu'il n'y aura pas de difficultés pour identifier le corps de façon certaine.

Japp dévisagea Poirot d'un air inquiet.

— Je l'espère bien, fit-il. Vous ne croyez pas...

Poirot lui coupa la parole :

— Ce qu'il me faut, *c'est une certitude* ! Il ne s'agit pas de ce que je crois !

V

Miss Morley avait quitté Londres pour aller vivre à la campagne.

Elle habitait une petite villa, près de Hertford, et c'est là que Poirot alla la voir. Elle le reçut avec beaucoup de bonne grâce. Elle avait toujours l'air d'un dragon, elle se tenait toujours aussi raide que jamais, son visage s'était peut-être rembruni encore, mais la visite de Poirot lui faisait plaisir. C'est qu'il lui avait, dès l'abord, laissé entendre qu'il ne souscrivait pas aux conclusions de l'enquête, qu'elle rejetait elle aussi, très affectée par l'ombre qu'elles jetaient sur la mémoire de son frère, coupable à tout le moins d'une impardonnable faute professionnelle, si l'on admettait le point de vue du procureur du roi.

Elle répondit donc avec infiniment de bonne volonté aux questions de Poirot. Classés par miss Nevill, tous les papiers professionnels de Mr Morley avaient été remis à son successeur. Certains des malades de Mr Morley étaient devenus ceux de Mr Reilly, d'autres s'étaient confiés aux soins du nouvel associé, d'autres enfin avaient porté leur clientèle à d'autres dentistes.

— Ainsi, dit miss Morley, quand elle eut donné à Poirot tous les renseignements qu'il avait sollicités, vous avez retrouvé cette miss Sainsbury Seale, qui était une malade d'Henry. Et elle a été assassinée, *elle aussi !*

Elle avait appuyé de façon significative sur les deux derniers mots.

— Votre frère vous avait-il jamais spécialement parlé d'elle? demanda Poirot.

— Non, répondit-elle, pas que je me souvienne! Quand il avait eu affaire à un malade particulièrement ennuyeux ou quand l'un d'eux lui avait dit quelque chose d'amusant, il me le signalait. Sinon, il ne me parlait pas de son travail. Sa journée finie, il était souvent fatigué et il préférait penser à autre chose.

— Parmi les malades dont il vous a parlé, vous souvenez-vous d'une Mrs Chapman?

— Chapman?... Il ne me semble pas. En réalité, c'est à miss Nevill qu'il faudrait poser la question!

— J'ai grande envie de la joindre. Où est-elle maintenant?

— Elle a, je crois, accepté un poste chez un dentiste de Ramsgate.

— Alors, elle n'a pas encore épousé le jeune Frank Carter?

— Non, et j'espère bien que ce mariage ne se fera jamais. Ce jeune homme, monsieur Poirot, ne m'inspire pas confiance. Il y a en lui quelque chose de mauvais et je persiste à croire qu'il n'a aucun sens moral!

— Pensez-vous qu'il soit possible qu'il ait tué votre frère?

Elle répondit sans hâte, pesant ses mots :

— Il aurait été *capable* de le faire, j'en suis sûre, car il n'a aucun empire sur lui-même, mais je ne vois vraiment pas pourquoi il l'aurait tué, ni à quel moment il aurait pu le faire. Si mon frère avait réussi à convaincre Gladys Nevill de ne plus voir ce jeune homme, je ne raisonnerais pas comme cela. Mais tout ce qu'il lui avait dit n'avait servi de rien et elle était restée très attachée à ce Frank Carter!

— Et si on l'avait payé pour tuer votre frère?

— Payé? Pour tuer mon frère? En voilà une idée! Une gentille petite bonne apporta le thé à ce moment. Lorsqu'elle se fut retirée, Poirot déclara qu'il l'avait reconnue.

— C'est bien, dit-il, la petite que vous aviez à Londres?

— C'est Agnès, en effet. Là-bas, je l'employais comme femme de chambre. J'ai laissé partir la cuisinière, qui ne voulait pas venir à la campagne, et, ici, c'est Agnès qui s'occupe de tout. Elle est en train de devenir une excellente cuisinière...

Poirot approuvait...

Il savait parfaitement comment était organisée, à Londres, la maison de Morley. Le dentiste et sa sœur occupaient les deux étages supérieurs de l'immeuble. Les pièces du rez-de-chaussée à l'exception du salon d'attente, étaient inutilisées. Un couloir étroit menait à la cour de derrière, où se trouvait un monte-charge, dont les fournisseurs faisaient usage. Il y avait aussi, à côté, un tube acoustique. On ne pouvait pénétrer dans la maison que par la porte d'entrée, sur laquelle veillait Alfred. Aussi la police avait-elle pu établir avec certitude qu'aucun inconnu ne s'était introduit dans la maison ce matin-là. Quant aux deux domestiques, la femme de chambre et la cuisinière, ils étaient chez les Morley depuis longtemps et l'on avait sur eux les meilleurs renseignements. En théorie, on pouvait tenir pour possible que l'une d'elles fût descendue au second étage pour assassiner son maître, mais, en fait, l'hypothèse ne pouvait être prise sérieusement en considération.

D'ailleurs, les deux femmes avaient répondu sans embarras aux interrogatoires et on ne voyait aucune raison qui eût justifié de leur part un geste criminel.

Cependant, au moment du départ de Poirot, Agnès, lui présentant sa canne et son chapeau, lui posa, avec une certaine nervosité, une question qu'il était, certes, loin d'attendre.

— Est-ce que... Est-ce qu'on sait du nouveau, monsieur, sur la mort de Monsieur?

— Non, répondit Poirot. Il n'y a rien de neuf.

— Ils sont toujours sûrs que Monsieur s'est tué parce qu'il avait fait une erreur?

— Oui. Mais pourquoi me demandez-vous ça?

Agnès tortillait son tablier.

— C'est, dit-elle, tournant la tête, parce que miss Morley, elle, ne croit pas ça!

— Et vous êtes, je pense, de son avis?

— Moi?... Oh! moi, monsieur, je ne sais pas!... Seulement, je voulais être sûre...

— J'imagine, reprit Poirot d'une voix très douce, que vous vous sentiriez soulagée si vous étiez sûre, sans aucun doute possible, qu'il s'agissait bien d'un suicide?

— Oui, monsieur, c'est bien cela!

— Mais pourquoi?... Vous avez pour ça une raison spéciale?

La fille regardait Poirot en ouvrant de grands yeux :

— Non, monsieur, dit-elle. Je voulais savoir, c'est tout!

Hercule Poirot s'en alla.

« *Pourquoi* diable m'a-t-elle demandé ça? »

La question le préoccupa durant le trajet de retour. Il devait s'avouer qu'il était incapable d'y répondre.

Mais le fait même qu'il eût à se la poser, le poussait à croire que peu à peu il se rapprochait de la solution générale du problème.

VI

Un visiteur sur lequel il ne comptait guère l'attendait chez lui : Mr Barnes.

Le petit homme, dont les yeux clignaient toujours, expliqua qu'il avait tenu à rendre sa visite à M. Hercule Poirot. Le détective répondit qu'il était enchanté de revoir Mr Barnes, et lui demanda ce qu'il préférait : du café, du thé ou un whisky?

Mr Barnes opta pour le café. Les serviteurs anglais le préparaient généralement assez mal, mais il ne doutait pas que le valet de M. Poirot fît exception à la règle.

D'autres politesses suivirent.

Puis, après avoir toussoté pour s'éclaircir la voix, Mr Barnes dit :

— Monsieur Poirot, je veux vous parler avec franchise. C'est la curiosité qui m'a amené chez vous. Je me suis dit que vous devriez être au courant de tous les détails de cette curieuse affaire. J'ai appris par les journaux que cette miss Sainsbury Seale, qui avait disparu, a été retrouvée, que l'enquête a eu lieu, que la cour s'est ajournée, faute des témoignages qui lui permettraient de statuer, et, enfin, que la mort aurait été causée par une dose excessive de somnifère.

— Tout cela est exact, dit Poirot.

Après un silence, il ajouta :

— Monsieur Barnes, avez-vous jamais entendu parler d'Albert Chapman?

— Le mari de la dame dans l'appartement de

laquelle miss Sainsbury Seale a trouvé la mort? Le personnage a l'air d'être plutôt insaisissable !

— Je croirais assez qu'il n'existe pas.

— Vous auriez tort, répondit Mr Barnes. Il existe. Aucun doute là-dessus. Il existe... ou il a existé. J'ai entendu dire qu'il était mort, mais ce n'était qu'un bruit...

— Et qui était ce Chapman?

— Je doute qu'on le dise à l'enquête, à moins qu'on ne puisse faire autrement. Je suppose qu'on racontera qu'il était le représentant d'une fabrique d'armements...

— Il appartenait donc bien à l'Intelligence Service?

— Bien sûr !... Seulement, il n'avait pas besoin de le dire à sa femme. En réalité, il aurait dû quitter l'Intelligence Service lorsqu'il s'est marié. Les véritables agents, ceux qui ont ça dans le sang, ne se marient généralement pas...

— Et Chapman était de ceux-là?

— Oui. Q.X.912. C'est sous ce chiffre qu'on le connaissait. On ne se sert pas des noms propres quand on fait de l'espionnage... Q.X.912 n'était pas un agent particulièrement important, ni peut-être particulièrement remarquable, mais il rendait des services parce qu'il ne se remarquait pas. Il avait une figure insignifiante, un visage banal, qu'on oublie tout de suite. Il a souvent servi de courrier. Un travail que vous connaissez peut-être?... On envoie à l'ambassadeur une lettre très digne, très officielle... et on la double par une autre, officieuse celle-là, mais la seule qui compte... C'est cette lettre-là qui était convoyée par Q.X.912, *alias* Mr Albert Chapman.

— Il devait donc savoir une quantité de choses intéressantes?

— Il ne savait probablement rien du tout, répondit

Mr Barnes avec bonne humeur. Son travail consistait à prendre le train, le bateau et l'avion et à avoir une histoire à raconter pour expliquer *pourquoi il allait où il allait* !

— Vous avez entendu dire qu'il était mort?

— Oui. Mais il ne faut pas croire tout ce qu'on dit. Chez moi, c'est un principe !

Poirot fixait Mr Barnes de ses petits yeux perçants :

— Que croyez-vous, demanda-t-il, qu'il soit arrivé à sa femme?

— Aucune idée !... Et vous?

— J'en ai une...

Il s'interrompit et dit lentement :

— Il est bien difficile de voir clair dans cette affaire !

Mr Barnes se pencha vers Poirot.

— Il y a quelque chose qui vous ennuie particulièrement?

Poirot soupira.

— Oui, répondit-il. Et c'est ce que j'ai vu de mes propres yeux !

VII

Japp pénétra en coup de vent dans le studio d'Hercule Poirot, et jeta son chapeau sur une petite table avec une violence telle que le meuble faillit tomber.

— Qu'est-ce qui vous a donné cette idée-là? demanda-t-il.

— Mon cher Japp, répondit Poirot avec le plus grand calme, je ne sais même pas de quoi vous parlez !

— Je parle de cette idée que le corps n'était pas celui de miss Sainsbury Seale !

Poirot paraissait ennuyé.

— C'est la figure qui me tracassait, dit-il. Pourquoi réduire en bouillie le visage d'une morte?

— Ma parole ! s'écria Japp, j'espère que ce brave vieux Morley, là où il est, est au courant de l'événement ! Il est très possible, vous savez, qu'on l'ait supprimé, simplement pour qu'il ne puisse pas témoigner.

— Il est certain que c'eût été mieux s'il avait pu déposer lui-même !

— Le témoignage de Leatheran, son successeur, sera très suffisant. C'est un homme qui connaît son affaire et, d'ailleurs, il n'y a pas moyen de se tromper !

Le lendemain, les journaux du soir annonçaient une nouvelle « sensationnelle » : le cadavre trouvé dans un appartement de Battersea n'était point, comme on l'avait cru, celui de miss Sainsbury Seale, mais celui de Mrs Albert Chapman. Le corps avait été identifié, sans aucun doute possible, par Mr Leatheran, dentiste, 58, Queen Charlotte Street, qui l'avait reconnu, d'après l'état de la mâchoire et des dents, en utilisant la fiche dressée par feu Mr Morley, qui soignait Mrs Albert Chapman.

Les vêtements trouvés sur le corps étaient ceux de miss Sainsbury Seale, dont le sac à main avait également été ramassé près du cadavre.

Mais où était miss Sainsbury Seale elle-même?

CHAPITRE V

NEUF, DIX, UNE POULE BIEN GRASSE...

I

Sortant avec lui de la salle où venait d'avoir lieu l'enquête, Japp se tourna vers Poirot. Il était radieux.

— Vraiment, s'écria-t-il, c'était du beau travail ! Ils en sont restés assis !

Poirot approuva d'un signe de tête.

— Vous avez le premier flairé quelque chose, reprenait Japp, mais je dois dire que ce cadavre ne me plaisait pas, à moi non plus ! Quand quelqu'un est mort, si on éprouve le besoin de lui aplatir la physionomie, c'est qu'on a une raison ! C'est une besogne sale, désagréable, qu'on ne fait pas pour le plaisir et, si l'on se résigne à la faire, c'est évidemment une question d'identité.

Généreux, il ajouta :

— Une chose, par contre, à quoi je n'aurais pas songé aussi rapidement que vous l'avez fait, c'est qu'il s'agissait justement de la seconde femme de l'affaire.

— Et pourtant, dit Poirot avec un sourire, les signalements n'étaient pas tellement différents. Sans doute, Mrs Chapman était une femme élégante, bien maquillée, et mise avec beaucoup de soin, alors que miss Sainsbury Seale était mal fagotée et paraissait ignorer l'usage du rouge à lèvres. Mais, pour l'essentiel, elles se ressemblaient. Elles avaient, l'une et l'autre, une quarantaine d'années, elles étaient à peu près de même taille et de même corpulence, toutes deux grisonnaient et toutes deux faisaient de leur mieux pour qu'on les crût blondes.

— *Comme ça,* bien sûr ! fit Japp, nullement convaincu. En tout cas, ce dont il faut que nous convenions, c'est que l'honnête Mabelle, deux L, E, nous a bien possédés, en long et en large ! J'aurais pourtant juré qu'elle ne nous racontait pas des histoires.

— Mais elle nous disait la vérité ! Tout son passé, vous le connaissez maintenant !

— Possible ! Mais je ne savais pas qu'elle était capable d'un meurtre. Car c'est bien ainsi que les choses se présentent maintenant ! Sylvia n'a pas assassiné Mabelle, c'est Mabelle qui a tué Sylvia !

Poirot fit la grimace. Il lui apparaissait encore bien difficile de voir une meurtrière en Mabelle Sainsbury Seale. Cependant, il lui semblait entendre la petite voix ironique de Mr Barnes, lui disant : « Cherchez « parmi les gens qui n'inspirent pas la « méfiance ! » Mabelle Sainsbury Seale n'était-elle pas le type même de ces personnes respectables qu'on n'aurait jamais l'idée de soupçonner?

Japp, cependant, suivait sa pensée.

— Une chose certaine, affirma-t-il pour conclure, c'est que je tirerai cette affaire au clair ! Si cette bonne femme s'imagine qu'elle va m'avoir, elle se trompe !

II

Le lendemain, Japp appela Poirot au téléphone.

— Allô, Poirot? Je vais vous apprendre une drôle de nouvelle. N, I, NI, c'est fini !

— Vous dites?... Il me semble que je n'entends pas très bien !

— Je répète ! N, I, NI, c'est fini. Dites-vous que la journée est terminée, asseyez-vous dans un fauteuil et tournez-vous les pouces !

La voix était chargée d'amertume.

— Mais, enfin, demanda Poirot, très surpris, qu'est-ce qui est fini?

— Tout le truc ! On ne parle plus de rien ! L'affaire est classée, liquidée, nettoyée ! Comme si elle n'avait jamais existé !

— Je comprends de moins en moins.

— Écoutez-moi bien et comprenez-moi à demi-mot, car je ne dois pas donner de noms !... Vous êtes au courant de notre enquête? Vous savez que je faisais rechercher à travers tout le pays une sorte de phoque savant (1)?

— Je ne sais. Alors?

— Alors, on m'a demandé d'abandonner les recherches. Et quand je dis qu'on m'a demandé, j'exagère : on m'a ordonné de le faire... et sans ménagements ! Comprenez-vous, maintenant?

— Oui. Mais *pourquoi*?

— Ordre des Affaires étrangères.

(1) Jeu de mots sur le nom propre de Seale, *seal* voulant dire *phoque* en anglais.

— Est-ce que ce n'est pas très extraordinaire?

— Ça arrive de temps en temps. La preuve!

— Mais pourquoi les Affaires étrangères tiennent-elles tant à protéger miss... à protéger votre phoque savant?

— Mon phoque ne les intéresse pas! Ce qu'on redoute, c'est simplement la publicité! On craint que, s'il y a procès, on ne soit obligé, à l'audience, d'en dire trop long sur le compte de Mrs A. C... la victime... J'imagine que c'est le côté « espionnage » de l'affaire. C'est sans doute à cause de son époux, Mr A. C... Vous me suivez?

— Très bien!

— Il est probable qu'il est quelque part à l'étranger, qu'il a dégoté un poste d'observation intéressant et qu'on voudrait bien ne pas le lui voir perdre!

— Zut!

— Vous dites?

— Je dis : « Zut! » parce que ça m'embête!

— Si je vous disais mon sentiment vrai, j'emploierais un mot autrement violent. Quand je pense que cette femme-là va s'en tirer, je vois rouge!

— Mais, dit doucement Poirot, elle ne s'en tirera pas!

— Mais si! Je vous le répète, nous avons les mains liées.

— Vous, peut-être! *Mais pas moi!*

— Mon vieux Poirot!... Alors, c'est vrai, vous continueriez?

— *Je continue!*... Jusqu'à la mort!

— Ne plaisantez pas, Poirot!... Si cette affaire se développe comme son commencement permet de le redouter, rien ne dit qu'on ne vous enverra pas par la poste une tarentule venimeuse!

En posant l'appareil, Poirot se demanda pourquoi il avait employé ce mélodramatique : « Jusqu'à la mort ! » qui ne correspondait à rien.

— Il y a des moments, conclut-il, où je suis complètement idiot !

III

La lettre arriva par le courrier du soir.

Elle était dactylographiée, la signature seule étant manuscrite.

Poirot la lut à deux reprises.

Elle disait :

Cher Monsieur Poirot,

Je vous serais très obligé de bien vouloir venir me voir dans la journée de demain. J'aurais une mission à vous confier. Je vous propose midi et demi, chez moi, à Chelsea. Si ce rendez-vous ne vous convenait pas, voulez-vous téléphoner à mon secrétaire pour en arranger un autre? Je m'excuse de vous prévenir si tard.

Sincèrement à vous.
ALISTAIR BLUNT.

Poirot venait d'achever sa seconde lecture de la lettre, quand la sonnerie du téléphone se déclencha.

Hercule Poirot se flattait parfois de reconnaître, d'après la seule sonnerie de l'appareil, la nature probable de la communication. Il se dit que, cette fois, il s'agissait de quelque chose d'important, qu'il n'aurait pas au bout du fil un de ses amis et qu'il ne pouvait être question d'un faux numéro.

Il se leva, prit le récepteur et dit poliment :

— Allô !

Une voix neutre, impersonnelle, lui demanda son numéro. Il répondit :

— Ici, Whitehall 7272.

Il y eut un silence, un déclic, puis une voix de femme vint en ligne :

— Monsieur Poirot?

— C'est moi-même !

— Monsieur Hercule Poirot?

— C'est bien cela.

— Monsieur Poirot, vous avez reçu — ou vous allez recevoir — une lettre.

— Qui est à l'appareil?

— Il n'est pas nécessaire que vous le sachiez !

— Très bien. J'ai reçu, madame, par le courrier de ce soir, huit lettres et trois factures.

— Vous devez savoir, alors, de quelle lettre je parle. Vous agirez sagement, monsieur Poirot, en refusant la mission qu'on veut vous confier.

— C'est un point, madame, dont je déciderai moi-même.

La voix répliqua, très calme :

— Ceci, monsieur Poirot, est un avertissement. Vous commencez à nous ennuyer. *Retirez-vous du jeu!*

— Et si je n'obéis pas?

— Alors, nous ferons en sorte que vous ne nous gêniez plus.

— C'est une menace?

— Nous vous demandons simplement d'avoir un peu de bon sens. Je parle dans votre intérêt.

— Vous êtes bien bonne !

— Vous ne pouvez rien changer au cours des événements, vous ne pouvez rien empêcher de ce qui a été décidé. *Donc, occupez-vous de ce qui vous regarde!* Vous comprenez?

— Très bien! Seulement, il se trouve que je considère que la mort de Mr Morley est *une chose qui me regarde!*

— La mort de Morley n'a été qu'un incident. Il contrariait nos plans.

— Morley, madame, était un être humain, et il est mort avant son heure.

— C'est sans importance!

D'un ton calme, mais ferme, Poirot répondit :

— Vous avez tort de croire ça!

— Il n'a eu que ce qu'il méritait. Il a refusé de comprendre.

— Je refuse, moi aussi!

— Alors, vous êtes un imbécile!

Un déclic, à l'autre bout du fil, annonça à Poirot qu'on avait raccroché. Il dit « allô » encore une fois, puis posa l'appareil. Il ne prit même pas la peine de demander au Central d'où venait la communication. Il était sûr qu'elle avait été passée d'une cabine publique.

Ce qui l'intriguait, c'est qu'il était convaincu d'avoir déjà entendu cette voix quelque part. Où? Il avait beau fouiller dans tous les recoins de sa mémoire, c'est vainement qu'il se posait la question.

Sa mystérieuse correspondante pouvait-elle être Mabelle Sainsbury Seale? Autant qu'il s'en souvînt, elle avait une voix assez haut placée, avec une diction affectée et une articulation appliquée. La voix qu'il venait d'entendre était très différente, mais peut-être était-ce une voix déguisée. Miss Sainsbury Seale, autrefois, avait joué la comédie. Elle devait être capable de changer sa voix. Oui, c'était peut-être elle qui se trouvait à l'autre bout du fil...

Et, pourtant, non ! Cette voix, c'est quelqu'un d'autre qu'elle lui rappelait. C'était une voix qui ne lui était pas très familière, mais qu'il avait entendue une fois ou deux.

Une autre question s'imposait à son esprit. Pourquoi avait-on pris la peine de lui téléphoner? Ces menaces, il lui était difficile de croire que ceux qui les lui avaient adressées s'imaginaient vraiment qu'elles le feraient reculer ! Et, cependant, il semblait bien qu'ils le pensaient !

Poirot conclut qu'il avait affaire à de pauvres psychologues.

IV

La presse du lendemain annonçait une nouvelle « sensationnelle » : dans la soirée de la veille, un coup de feu avait été tiré sur le Premier ministre, alors qu'il quittait Downing Street en compagnie d'un ami. Par bonheur, la balle avait manqué son but. L'auteur de l'attentat, un Hindou, avait été arrêté.

Poirot, dès qu'il eut appris la nouvelle, se fit conduire à Scotland Yard.

A peine était-il entré dans le bureau de Japp que l'inspecteur, après lui avoir dit sa joie de le voir, lui posait une question :

— Avez-vous trouvé, dans un journal ou dans un autre, le nom de l'ami qui accompagnait le Premier?

— Non. Qui était-ce?

— Alistair Blunt.

— Non?

— Et nous avons toutes les raisons de penser que c'est à lui, et non au Premier, que la balle était destinée. Ou alors, c'est que l'homme est encore plus mauvais tireur qu'il ne semble !

— Cet homme, qui est-ce?

— Un étudiant hindou. A moitié fou, bien entendu. Un cerveau brûlé, qui n'a été qu'un instrument. Ce n'est certainement pas lui qui a eu l'idée de l'attentat. Il s'en est, d'ailleurs, fallu de peu qu'il ne fût pas arrêté. Vous savez qu'il y a toujours une petite foule devant le 10, Downing Street. Après le coup de feu, un jeune Américain a saisi au collet un barbu qui se trouvait là, le secouant comme un prunier en criant qu'il tenait l'homme qui avait tiré. Pendant ce temps-là, l'Hindou prenait le large. Heureusement, un de nos hommes l'a coiffé à temps...

— Ce jeune Américain, comment s'appelle-t-il?

— Raikes, il me semble...

Il s'interrompit devant le sourire de Poirot.

— Howar Raikes, en résidence au Holborn Palace Hotel, c'est ça? demanda Poirot.

— C'est ça! s'écria Japp. Et je comprends maintenant pourquoi son nom me disait quelque chose! C'est le malade qui n'a pas eu la patience d'attendre, le jour où Morley s'est tué!

Il réfléchit un moment, puis ajouta :

« C'est drôle qu'on en revienne toujours à cette vieille affaire! Vous avez toujours là-dessus vos petites idées à vous, n'est-ce pas, Poirot?

— Oui, répondit gravement Poirot. J'ai toujours là-dessus mes petites idées à moi!

V

De Scotland Yard, Poirot se rendit chez Alistair Blunt.

Il fut reçu par un jeune secrétaire fort élégant qui,

avec une distinction fleurie, le pria de bien vouloir agréer les excuses de Mr Blunt.

— Mr Blunt, expliqua-t-il, a été appelé à Downing Street, à la suite de... l'incident d'hier soir. J'ai téléphoné chez vous, mais malheureusement vous étiez déjà sorti.

Sans laisser à Poirot le temps de placer un mot, le beau jeune homme ajoutait :

— Mr Blunt m'a chargé de vous demander s'il vous serait possible de passer le week-end avec lui dans sa maison de campagne du Kent, à Exsham. Dans l'affirmative, il vous ferait prendre en automobile demain soir.

Poirot hésitait.

Le jeune homme insistait.

— Mr Blunt serait tout particulièrement heureux de vous avoir.

— Eh bien ! dit Poirot, c'est entendu ! J'accepte.

— Mr Blunt sera ravi. Est-ce qu'en passant chez vous demain soir, à six heures moins le quart...

Le secrétaire s'interrompit pour saluer Mrs Olivera, qui venait d'entrer. Elle était très élégamment habillée, avec un chapeau très original coquettement posé sur des cheveux arrangés avec art.

— Monsieur Selby, dit-elle, s'adressant au jeune homme, est-ce que Mr Blunt vous a donné des instructions pour les chaises de jardin? Je voulais lui en parler hier soir, sachant que nous partons demain et...

Elle s'était tue en découvrant la présence de Poirot. Le détective inclina le buste, elle lui répondit d'un salut très bref et reprit :

— Evidemment, monsieur Selby, je sais qu'Alistair a beaucoup à faire et que ces petites choses sont pour lui sans importance, mais...

— Mr Blunt m'a parlé des chaises de jardin,

répondit le secrétaire, et j'ai téléphoné à ce sujet à Messrs Deevers.

— C'est pour moi un gros souci de moins, déclara Mrs Olivera. Maintenant, pouvez-vous me dire, monsieur Selby, pourquoi...

Elle continuait, caquetant comme une mère poule. Cette comparaison était venue soudain à l'esprit de Poirot, qui la trouvait parfaitement justifiée. Une énorme poule, grasse et dodue, c'était bien cela!

Avec majesté, elle se dirigeait vers la porte.

— Etant donné que nous serons absolument entre nous au cours de ce week-end...

Mr Selby annonça à Mrs Olivera, non sans embarras, que M. Poirot était invité.

Elle se retourna et toisa Poirot avec un dédain non dissimulé.

— C'est vrai? demanda-t-elle.

— Mr Blunt, répondit Poirot, a eu la bonté de m'inviter.

— Ça, s'écria-t-elle, c'est curieux! Je m'en excuse, monsieur Poirot, mais Mr Blunt m'avait expressément déclaré qu'il voulait, cette semaine, passer le week-end en famille !

— Mr Blunt, dit le secrétaire, son assurance retrouvée, s'est affirmé particulièrement désireux de voir M. Poirot accepter son invitation.

— Vraiment? En tout cas, il ne m'en a rien dit!

La porte s'ouvrit devant Jane Olivera, elle aussi habillée pour sortir.

— Eh bien! maman, lança-t-elle du seuil, tu viens? Tu sais qu'on doit se mettre à table à une heure un quart?

— J'arrive! Ne sois pas tellement impatiente !

— Alors, presse-toi un peu! Tiens, monsieur Poirot!

D'un seul coup, son exubérance était tombée. Poirot sentait qu'elle était sur la défensive.

— M. Poirot, dit Mrs Olivera d'une voix glacée, vient avec nous à Exsham, pour le week-end.

— Ah?...

Jane Olivera s'écarta pour laisser passer sa mère, mais, au lieu de la suivre, elle fit un pas vers le centre de la pièce et appela Poirot.

Docile, le détective vint vers elle.

— C'est vrai? lui demanda-t-elle, très bas. Vous venez à Exsham? Pourquoi?

Poirot fit un geste d'ignorance.

— C'est une gentille pensée de votre oncle...

— Mais il ne peut pas savoir! Il ne peut pas! Quand vous a-t-il invité?

— Jane!

Dans le hall, Mrs Olivera s'impatientait.

— Ne venez pas, monsieur Poirot! murmura encore Jane. Ne venez pas, je vous en prie!

Elle rejoignit sa mère, dont la mauvaise humeur éclatait. Poirot perçut des bribes de la dispute. Il entendit notamment la voix de Mrs Olivera qui disait :

— Dis-toi bien, Jane, que ton impolitesse commence à m'ennuyer plus que de raison! Puisqu'il le faut, je ferai en sorte que...

La suite fut perdue pour Poirot.

Il répondit d'un signe de tête purement machinal au secrétaire qui lui parlait de l'heure à laquelle la voiture devait aller le chercher, le lendemain. Il restait debout, au milieu de la pièce, mais il n'était pas sûr d'avoir exactement conscience de ce qu'il se passait autour de lui. Il était comme un homme qui vient de voir un fantôme, ou plutôt qui vient d'entendre parler un fantôme.

Deux des phrases que venait de prononcer Mrs Olivera ressemblaient étrangement à deux phrases qui lui avaient été dites la veille au téléphone et il comprenait maintenant pourquoi la voix de sa mystérieuse correspondante ne lui était pas tout à fait inconnue !

C'est à cela qu'il réfléchissait en reprenant le chemin de son domicile.

Ainsi, ce coup de téléphone, *c'est Mrs Olivera qui le lui aurait passé?*

Mais non, c'était impossible. Cette femme du monde à la cervelle vide, qui ne pensait qu'à elle et à ses petites affaires, cette mère poule, caquetant à longueur de jours, non, ce ne pouvait être là sa mystérieuse correspondante ! Ses oreilles avaient dû le tromper.

Et pourtant...

VI

La Rolls vint chercher Poirot à six heures, très exactement.

Mrs Olivera et sa fille s'étant rendues à Exsham dans une autre voiture, partie dans le courant de l'après-midi, Poirot fit le voyage avec Alistair Blunt et son secrétaire.

Blunt parla tout d'abord de ses jardins et de la dernière exposition florale. Puis, Poirot l'ayant félicité d'avoir échappé à la mort, il dit :

— J'y ai d'autant moins de mérite que ce n'est pas moi que le pauvre bougre visait. C'était d'ailleurs un bien piètre tireur ! Un étudiant un peu braque qui, à la vérité, n'est pas bien dangereux. Un de ces malheureux types qui se sont laissé endoctriner et qui se figurent qu'une balle tirée sur un Premier ministre peut changer le cours de l'Histoire. Quand on y réfléchit, c'est presque touchant!

— Ce n'est pas la première fois, je crois, qu'un attentat était dirigé contre vous?

— Le mot « attentat » fait très mélodramatique, répondit Blunt avec un sourire. Il n'y a pas très longtemps, on m'a envoyé une bombe par la poste. J'ai le regret de dire que cette bombe était très mal faite. Ces gens-là ont l'ambition de gouverner le monde. Et ils ne sont pas fichus de fabriquer une bombe présentable!

Il hocha la tête et poursuivit :

— Voyez-vous, c'est toujours la même chose! Ces idéalistes à longue crinière n'ont pratiquement rien dans le crâne. Je ne prétends pas être un homme remarquable — je ne l'ai jamais été —, mais je sais lire, écrire et compter. Vous voyez ce que je veux dire?

— Je le crois, dit Poirot, mais précisez tout de même.

— Eh bien! voici. Quand je lis de l'anglais, *je comprends ce que cela veut dire.* Entendons-nous, je ne parle pas de choses abstraites et de philosophie transcendantale, je parle de choses simples, faites pour être comprises. La plupart des gens les lisent et ne les comprennent pas, encore qu'ils soient persuadés du contraire. De même, quand j'écris, *j'écris ce que je veux dire.* Je me suis aperçu que la majorité de nos contemporains était incapable d'en faire autant. Enfin, comme je vous l'ai dit, je sais compter. Jones a huit bananes, Brown lui en prend dix, combien lui en reste-t-il? Ce problème-là, neuf personnes sur dix le résoudront sans hésiter. Elles n'admettront jamais qu'il est bien difficile à Brown de prendre dix bananes là où il n'y en a que huit et jamais non plus que la réponse ne doit pas être affectée du signe « plus » !

— Elles préfèrent que le problème soit résolu par un tour de passe-passe.

— Exactement. Les politiciens raisonnent d'ailleurs avec une logique toute semblable. Pour moi, je m'en tiens au simple bon sens. A la longue, on s'aperçoit qu'il est imbattable...

Riant, il ajouta :

— Mais j'ai tort de parler boutique. C'est une très mauvaise habitude et j'aime bien laisser les affaires derrière moi quand je m'éloigne de Londres. Je me suis promis, monsieur Poirot, de vous demander de me parler de vos aventures personnelles. Je suis un grand amateur de romans policiers. A votre avis, y en a-t-il dans le nombre qui soient aussi vrais que la vie?

Le reste du trajet fut entièrement occupé par le récit de quelques-unes des affaires « sensationnelles » débrouillées par Hercule Poirot. Alistair Blunt écoutait avec une attention passionnée et réclamait des détails.

Les choses se gâtèrent un peu à l'arrivée à Exsham. Mrs Olivera, imposante et massive, marquait nettement par son attitude que la présence du détective lui était désagréable. Ignorant Poirot autant qu'il était possible, elle ne s'adressait qu'à Blunt et à Mr Selby.

Celui-ci conduisit Poirot à sa chambre. La maison n'était pas très grande, mais elle était charmante et meublée avec un goût très sûr, comme l'était la résidence londonienne du grand financier. Le luxe s'affirmait partout, mais ne s'étalait pas. Aucune ostentation, mais, partout, une volonté de simplicité bien sympathique. Le service, discret, était parfait, la cuisine, anglaise, mais excellente. Au dîner, les vins firent l'admiration de Poirot, qui goûta fort l'heureuse ordonnance d'un repas comprenant un potage velouté à souhait, des soles grillées, des selles d'agneau, des framboises et une crème très sucrée qui l'enchanta.

Ces appréciables contingences firent qu'il ne prêta pratiquement aucune attention à la froideur persistante de Mrs Olivera, qui continuait à feindre de ne pas soupçonner sa présence, non plus qu'à l'hostilité que lui témoignait Jane Olivera, hostilité qu'il constatait sans en discerner la cause.

Le dessert s'achevait quand Blunt posa à Julia Olivera une question qu'elle n'attendait plus.

— Comment se fait-il, demanda-t-il, qu'Hélène n'ait pas dîné avec nous?

Julia Olivera répondit assez sèchement :

— J'ai eu l'impression que notre chère Hélène s'était beaucoup fatiguée au jardin, cet après-midi. Je lui ai dit que, si ça l'ennuyait de s'habiller pour dîner, elle pouvait très bien rentrer chez elle et se coucher tout de suite, que nous la comprendrions fort bien. Elle a partagé ma façon de voir...

— Parfait, fit Blunt. Je me serais pourtant imaginé que le week-end apporterait dans sa vie un peu de changement, un peu d'imprévu...

— Hélène est une fille toute simple, répliqua Mrs Olivera. Elle aime se coucher tôt.

Après le café, tandis que Blunt s'éloignait pour un instant avec son secrétaire, Poirot rejoignit les dames au salon. Jane Olivera et sa mère poursuivirent leur conversation sans faire aucune attention à lui.

— J'ai l'impression, maman, dit Jane, que l'oncle Alistair n'a pas beaucoup goûté la façon dont tu nous as débarrassés ce soir d'Hélène Montressor !

— Aucune importance, répliqua catégoriquement Mrs Olivera. C'est très gentil d'avoir des parents pauvres, mais il ne faut pas exagérer. Alistair est trop bon. Je comprends très bien qu'il la loge gratuitement, mais ce n'est pas une raison pour qu'elle dîne avec nous quand nous sommes ici en week-end ! Elle n'est sa cousine qu'au second ou au troisième degré. Il ne faut pas qu'elle s'impose !

— Tu sais qu'elle est très fière, dans son genre? Elle a fait des tas de choses, au jardin !

— Ça prouve qu'elle n'a pas mauvais esprit. Les Ecossais sont très indépendants et je suis la première à le reconnaître et à les en féliciter.

Elle s'installa sur un canapé et, affectant toujours de ne pas voir Poirot, pria sa fille de lui donner le *Low Down Review*.

— Je crois, ajouta-t-elle, qu'il contient un article sur Loïs Van Schuyler. J'aimerais le lire...

Alistair Blunt ouvrit la porte.

— Maintenant, dit-il, je suis à vous, monsieur Poirot. Voulez-vous venir jusqu'à mon bureau?

C'était une longue pièce basse, située sur le derrière de la maison et dont les fenêtres ouvraient sur le jardin. Elle manquait certes de cette symétrie que Poirot appréciait tant, mais on ne pouvait nier qu'elle fût d'aspect sympathique. Les fauteuils étaient profonds, les éclairages heureusement agencés pour la lecture et la conversation.

Alistair Blunt offrit une cigarette à son hôte, alluma sa pipe et entra tout de suite dans le vif du sujet.

— Il y a bien des choses qui ne me satisfont pas, dit-il. Je parle, vous l'avez deviné, de la disparition de cette miss Sainsbury Seale. Pour des raisons qui ne sont connues que d'elles, mais qui sont très légitimes, je n'en doute pas, les autorités ont décidé que les recherches devaient être interrompues. Je ne sais pas au juste qui est Albert Chapman et je ne sais rien de ce qu'il fait, mais je suppose qu'il s'agit de quelque chose de très important et qui comporte des risques sérieux. Je ne connais pas les dessous de l'affaire, mais le Premier ministre m'a déclaré qu'elle n'avait déjà eu que trop de publicité et que plus vite on l'oublierait, mieux ce serait. C'est là le point de vue officiel. Il a probablement sa raison d'être et je ne le discute pas. Je constate simplement que la police a les mains liées.

Penché en avant vers Poirot, il ajouta :

— *Or, monsieur Poirot, moi, je veux connaître la vérité.* Et c'est vous qui me la trouverez ! Parce que, *vous,* vous n'êtes pas paralysé comme le sont les gens qui dépendent du gouvernement !

— Qu'attendez-vous de moi, exactement? demanda Poirot.

— Je veux que vous retrouviez cette miss Sainsbury Seale.

— Morte ou vive?

Alistair Blunt leva les sourcils.

— Vous pensez qu'il est possible qu'elle soit morte?

Hercule Poirot ne répondit pas tout de suite. Il réfléchit un instant, puis, parlant lentement et pesant ses mots, il dit :

— A mon avis — mais, bien entendu, ce n'est qu'une opinion et je puis me tromper —, elle est morte.

— Qu'est-ce qui vous le fait croire?

Un léger sourire passa sur le visage de Poirot.

— Vous ne me prendrez peut-être pas très au sérieux, monsieur Blunt, si je vous dis — et c'est pourtant la vérité — que c'est une paire de bas neuve, trouvée dans un tiroir !

Alistair Blunt dévisagea longuement le détective.

— Vous êtes un homme curieux, monsieur Poirot, dit-il enfin.

— Très curieux, j'en conviens, admit Poirot. Je suis méthodique, j'ai de l'ordre, je raisonne logiquement et je ne tourmente pas les faits pour les ajuster à mes hypothèses. Je reconnais que tout ça fait de moi un homme peu ordinaire.

Alistair Blunt reprit :

— Cette affaire, je l'ai tournée et retournée dans mon esprit pour y comprendre quelque chose ! Elle est pleine de bizarreries. Ce dentiste qui se suicide, cette dame Chapman qu'on retrouve la figure écrasée, enfermée dans sa propre malle à fourrures, tout cela est étrange, très étrange ! Je ne peux pas m'empêcher de penser qu'il y a *là-dessous* quelque chose !

— C'est bien mon avis.

— Et, plus j'y pense, plus je suis convaincu que cette miss Sainsbury Seale n'a jamais été l'amie de ma femme. C'est pour m'aborder qu'elle m'a dit l'avoir connue. Mais *pourquoi*? En quoi cela l'avançait-il? Vous n'allez pas me dire que c'était pour me soutirer les quelques livres que je lui ai données, dont elle n'a d'ailleurs pas profité personnellement, puisqu'elles sont allées à je ne sais quelle œuvre dont elle s'occupait ! Et, pourtant, j'ai la conviction que cette rencontre sur le perron du dentiste était manigancée de longue main ! Dans quelle intention? C'est ce que je me demande. *Pourquoi?*

— Je me suis souvent posé la question, dit Poirot. Pour le moment, la réponse m'échappe !

— Et vous n'avez aucune idée?

Poirot eut un geste désabusé.

— Des idées, si, j'en ai. Mais qui me paraissent ridicules quand je les examine. Il m'est arrivé de penser que c'était peut-être une ruse pour vous montrer à quelqu'un, pour vous désigner. Mais, à la réflexion, c'est absurde. Vous êtes un homme connu... Et, à la rigueur, il eût été tellement plus simple de guetter votre arrivée et de dire à celui qui devait vous voir : « Regardez ! C'est l'homme qui va entrer ! »

— D'autre part, pourquoi aurait-on eu besoin de me désigner à quelqu'un?

Poirot se recueillit quelques secondes.

— Monsieur Blunt, dit-il ensuite, voudriez-vous vous reporter par la pensée à ce matin où vous étiez assis dans le fauteuil du dentiste? Morley vous a-t-il dit quelque chose qui vous ait surpris? Ne vous souvenez-vous de rien qui pourrait nous mettre sur la voie?

Alistair Blunt plissa le front, fit un effort de mémoire, mais ne trouva rien.

— Navré, fit-il. Je ne me rappelle rien de particulier.

— Vous êtes sûr qu'il ne vous a pas parlé de miss Sainsbury Seale?

— Absolument sûr.

— Il ne vous a rien dit non plus de Mrs Chapman?

— Non. En fait, personne n'a été nommé dans la conversation. Nous avons parlé fleurs, jardins, vacances...

— Et personne n'est entré dans le cabinet pendant que vous étiez là?

— Je ne crois pas. En d'autres occasions, il y avait là, autant que je me souvienne, une jeune femme, une jolie blonde, mais elle n'était pas là ce jour-là... Pourtant, vous avez raison ! Il est venu quelqu'un, je me le rappelle maintenant... Un dentiste, qui avait l'accent irlandais...

— Qu'a-t-il dit et qu'a-t-il fait?

— Il a posé une question à Mr Morley et il est parti. J'ai eu l'impression que Morley l'accueillait assez fraîchement. Il n'est pas resté plus d'une minute...

— C'est tout ce que vous voyez? Vous ne vous souvenez de rien d'autre?

— Non. Morley m'a paru absolument normal.

— Moi aussi, dit Poirot, songeur, je l'ai trouvé absolument normal.

Les deux hommes se turent quelques instants. Puis Poirot parla de nouveau.

— Vous souvenez-vous, monsieur Blunt, demanda-t-il, du jeune homme qui se trouvait en même temps que vous dans le salon d'attente?

— Très vaguement... Effectivement, il y avait là un jeune homme assez agité, si je me rappelle bien.

— Le reconnaîtriez-vous?

Blunt fit signe que non.

— Je l'ai à peine regardé, expliqua-t-il.

— Il n'a pas essayé de lier conversation avec vous?

— Non.

Le regard de Blunt interrogeait.

— Où voulez-vous en venir? dit-il. Vous connaissez ce jeune homme?

— Il s'appelle Howard Raikes.

Poirot guettait la réaction de son interlocuteur. Il n'y en eut aucune.

— Est-ce que je devrais le connaître? demanda Blunt. Je l'aurais déjà rencontré?

— Je ne crois pas, répondit Poirot. C'est un ami de votre nièce, miss Olivera.

— Ah ! Un ami de Jane?

— Oui... et je crois que cette amitié est vue d'un assez mauvais œil par Mrs Olivera.

— Ce dont Jane doit se moquer éperdument ! lança Blunt avec bonne humeur.

— Ce qui n'empêche que Mrs Olivera a fait traverser l'Atlantique à sa fille pour la soustraire précisément à l'influence de ce jeune homme.

— Ah ! *C'est de celui-là qu'il s'agit !*

Blunt comprenait enfin.

— Je vois, fit remarquer Poirot, que je commence à vous intéresser.

— Ce jeune homme, dit Blunt, est un gaillard qui, autant que je sache, ne vaut pas grand-chose, un jeune fou qui fréquente je ne sais quels milieux révolutionnaires...

— Je tiens de miss Olivera qu'il avait pris rendez-vous ce matin-là avec Morley à seule fin de vous voir.

— Dans l'espoir que je le trouverais... possible?

— Euh... Ce n'est pas tout à fait ça !... J'ai cru comprendre que c'est lui qui devait voir si vous étiez ou non possible !

La stupéfaction d'Alistair Blunt s'exprima par une succession de jurons. Poirot, réprimant difficilement un sourire, poursuivit :

— Il paraît que vous représentez tout ce que ce jeune homme n'aime pas !

— Il est en tout cas, lui, de ces jeunes gens que je ne puis souffrir ! Ceux qui passent leur temps à faire de grands discours et à se tourner les pouces au lieu de travailler !

Poirot, dans le silence qui suivit, médita une question importante. Il demanda enfin la permission de la poser.

— Allez-y ! dit Blunt.

— Je dois vous prévenir, précisa Poirot, qu'elle

est personnelle et qu'elle vous paraîtra sans doute indiscrète.

— Je vous écoute.

— Dans le cas où vous viendriez à mourir, quelles dispositions testamentaires avez-vous prises?

Blunt ne cachait pas sa surprise.

— En quoi cela peut-il vous intéresser? dit-il.

— En ceci, répondit Poirot, qu'il est très possible que vos dispositions testamentaires ne soient pas sans rapport avec l'affaire qui nous occupe.

— Je n'en crois rien !

— Vous avez peut-être raison, mais ce n'est pas sûr !

— Je crois, monsieur Poirot, reprit Blunt d'un ton sec, que vous dramatisez à plaisir. Il n'est pas question de moi. Personne n'a essayé de *me* tuer...

— Une bombe dans votre courrier... Un coup de revolver dans la rue...

— Incidents sans importance ! Il n'y a pas un homme s'occupant de finances un peu sérieusement qui n'ait, un jour ou l'autre, attiré l'attention de quelque demi-fou ou de quelque fanatique !

— Je répète qu'il peut s'agir de quelqu'un qui ne soit, ni un demi-fou, ni un fanatique.

— Mais, enfin, s'écria Blunt, où voulez-vous en venir?

— Je voudrais simplement savoir, répondit Poirot, qui bénéficierait de votre mort !

Blunt fit la grimace.

— Eh bien ! dit Blunt, sachez que ce serait surtout l'hôpital Saint-Edwards, l'Institut du Cancer et l'Institut royal des Aveugles.

— Ah !

— En outre, j'ai prévu de léguer une somme importante à ma nièce par alliance, Mrs Julia Olivera, une somme sensiblement égale à sa fille Jane, et une autre à ma seule parente, Hélène Montressor, ma petite cousine, qui a subi des revers de fortune et qui vit ici, dans une petite villa que je lui prête.

Il ajouta :

— Tout ceci, monsieur Poirot, est strictement confidentiel.

— Bien entendu, monsieur.

— J'espère, monsieur Poirot, poursuivit Blunt avec une ironie appuyée, que vous n'imaginez pas que l'une de mes trois héritières songe à me tuer pour entrer plus rapidement en possession de son legs?

Poirot le rassura.

— Je n'imagine rien !... Rien du tout !

— Et acceptez-vous cette mission dont je vous parlais tout à l'heure?

— La recherche de miss Sainsbury Seale? Oui.

La mauvaise humeur d'Alistair Blunt s'évanouit du coup et c'est de son ton le plus cordial qu'il dit, frappant sur l'épaule de Poirot :

— Vous êtes un chic type, Poirot !

VII

Sortant du bureau, Poirot faillit entrer en collision avec une haute silhouette qui passait devant la porte.

Il s'excusa.

— Je vous demande pardon, miss Olivera.

Jane Olivera le toisa et, l'entraînant un peu plus loin, lui dit :

— Savez-vous ce que je pense de vous, monsieur Poirot?

La question n'avait qu'une valeur de rhétorique

et le ton indiquait suffisamment que la jeune fille n'attendait pas la réponse de Poirot et qu'elle allait la formuler elle-même.

— Eh bien ! monsieur Poirot, reprit-elle avant même qu'il n'eût le temps d'ouvrir la bouche, je vous tiens pour un sale petit espion !

— Mais, mademoiselle...

— Parfaitement, un sale petit espion ! Et j'ai vu clair dans votre jeu ! Je sais très bien ce que vous cherchez et je ne suis pas dupe des mensonges que vous racontez ! Pourquoi n'en convenez-vous pas? En tout cas, je vais vous dire une chose : *vous ne trouverez rien!* Rien du tout ! Parce qu'il n'y a rien à trouver ! Personne ne songe à faire du mal à la précieuse personne de mon précieux oncle ! Il n'a rien à craindre ! Il n'aura jamais rien à craindre ! Il continuera à se bien porter, à s'enrichir et à parler en maximes. Il sera toujours ce qu'il est : un gros John Bull, qui n'a pas une once d'imagination et qui vit avec des œillères !

Elle marqua une pause, reprit haleine, puis, d'une voix sourde et méchante, elle dit encore :

— Vous êtes un sale petit détective bourgeois et j'ai mal au cœur rien que de vous regarder !

Sur quoi, elle s'éloigna d'une démarche aisée, dans un froufrou de soie.

Poirot, immobile, réfléchissait en caressant ses moustaches. L'épithète de *bourgeois,* il en convenait, lui allait bien. Bourgeois, il l'était jusqu'au bout des ongles et dans sa conception même de la vie. Ce qui le chiffonnait, c'était qu'une fille aussi jolie que Jane Olivera considérât le mot comme une injure. Il y avait là de quoi penser !

Il retourna au salon.

Mrs Olivera, qui faisait une réussite, leva les

yeux vers lui, lui lança un regard glacé et, baissant la tête, posa sa carte en disant :

— Le valet rouge sur la dame noire...

Poirot murmura :

— Décidément, personne ne m'aime !

Battant en retraite, il se dirigea vers la porte-fenêtre et passa dans le jardin. La soirée était belle et mille odeurs qu'il humait avec délices flottaient dans l'air nocturne.

Il suivit une allée bordée d'arbustes et, à un détour du sentier, distingua dans l'ombre deux silhouettes vagues qui se séparèrent brusquement à son approche : il avait dérangé un couple d'amoureux.

Il revint sur ses pas, mécontent. Même dehors, il était de trop !

Il passa sous les fenêtres d'Alistair Blunt, qui dictait quelque chose à son secrétaire.

En somme, il ne lui restait qu'une chose à faire : gagner sa chambre.

Ce qu'il fit.

Là, il examina de nouveau quelques-uns des problèmes qu'il avait à résoudre. Certains lui apparaissaient comme tout simplement « fantastiques ».

Mrs Olivera. Se trompait-il quand il voyait en elle l'inconnue qui lui avait téléphoné? Idée absurde. Pourtant...

Il pensait aux étranges révélations que lui avait faites le calme petit Mr Barnes. Ce Q.X.912, *alias* Albert Chapman, que pouvait-il fabriquer au juste?

Il pensait à la petite Agnès, à son regard apeuré...

C'était toujours la même histoire ! *Les gens vous cachaient toujours quelque chose.* Généralement, ils faisaient des mystères avec rien du tout, mais ces mystères, aussi longtemps qu'ils subsistaient, vous empêchaient de voir la route !

Et elle n'était pas facile, la route !

Des obstacles, il y en avait en quantité. Et de tous genres ! Le plus irritant, c'était peut-être celui que Poirot avait baptisé « l'énigme Sainsbury Seale ». Car, s'il avait bien vu, si ses sens ne l'avaient pas trompé, si les faits qu'il avait constatés étaient bien *les faits,* rien ne tenait debout.

« Ce n'est pas possible ! conclut Poirot, se couchant. Je dois devenir vieux ! »

CHAPITRE VI

ONZE, DOUZE,
LES HOMMES DOIVENT BECHER...

I

Hercule Poirot, après une nuit agitée, se leva tôt. Le temps était magnifique, il sortit tout de suite.

Suivant le même itinéraire que la veille au soir, il parcourut les allées d'un premier jardin, où tout était en fleurs, mais où les massifs, dont il ne méconnaissait pas la beauté, n'étaient pas disposés selon son goût. La roseraie, par contre, où tout était symétrique et tiré au cordeau, l'enchanta. Il termina sa promenade par le jardin alpestre, fermé par un mur au-delà duquel se trouvait le potager.

Poirot s'arrêta un instant pour regarder une femme qui donnait des instructions à un homme en qui il était facile de deviner le chef jardinier. La femme, qui portait un costume de tweed, était vigoureusement bâtie. Elle avait les cheveux et les sourcils très noirs et parlait lentement, avec un fort accent écossais. Poirot crut comprendre que le chef jardinier goûtait peu la conversation de miss Hélène Montressor. Il poursuivit sa route dans une autre direction.

A son approche, un jardinier — dont Poirot aurait parié qu'il se reposait depuis un bon moment — se mit à bêcher avec ardeur. Poirot, qui l'observait de dos, lui lança un bonjour amical. L'homme répondit, de façon tout juste intelligible, mais n'interrompit pas sa besogne pour autant. Le fait surprit Poirot, qui s'arrêta. Si désireux qu'il fût d'affirmer son zèle, un jardinier, Poirot en avait trop souvent fait l'expérience pour en douter, était toujours disposé, quand on l'interpellait, à poser son outil pour souffler un brin et faire la causette. N'était-il pas anormal que celui-là, qui d'ailleurs semblait tout jeune, échappât à la règle?

Poirot le regarda pendant plusieurs minutes. Ces épaules, il lui semblait bien les avoir déjà vues quelque part. Est-ce qu'il se trompait? Est-ce qu'il n'était pas tout simplement en train de contracter une fâcheuse manie, consistant à découvrir un peu partout des épaules et des voix qui lui semblaient familières alors qu'il ne les avait jamais vues ou entendues? Etait-ce donc, comme il en avait eu peur hier soir, qu'il commençait à vieillir?

Poirot quitta le potager, fit quelques pas dans un verger, puis, un instant plus tard, vint jeter un coup d'œil indiscret par-dessus le mur du potager. Le jeune jardinier s'était redressé. Il passait son avant-bras sur son visage en sueur. Poirot quitta presque immédiatement son poste d'observation.

— Très curieux et très intéressant, dit-il à mi-voix, tout en chassant de la main quelques particules moussues qui s'étaient accrochées aux revers de son veston.

Oui, il était vraiment curieux et intéressant que Frank Carter, qui occupait quelque part un poste de secrétaire dépendant plus ou moins du gouvernement, travaillât comme jardinier au service d'Alistair Blunt.

Un gong résonna au loin. Hercule Poirot se remit en route vers la maison. En chemin, il aperçut son hôte en grande conversation avec miss Montressor, qui venait de sortir du potager.

— C'est très gentil à vous, Alistair, disait-elle. Mais je préférerais ne pas accepter votre invitation cette semaine, puisque vous avez avec vous vos parentes d'Amérique !

Blunt essaya de lui parler raison.

— Julia manque de tact, je n'en disconviens pas, mais cela ne veut pas dire...

Avec autorité, miss Montressor lui coupa la parole.

— Je considère qu'elle s'est conduite vis-à-vis de moi de façon inadmissible. Et ce n'est pas parce qu'elle est américaine que je supporterai ses insolences !

Ayant dit, elle s'éloigna vers le fond du potager.

Poirot, qui s'était discrètement tenu à l'écart, s'approcha. Alistair Blunt, comme il arrive souvent au sortir des discussions qu'un homme peut avoir avec une de ses parentes, avait l'air penaud et déconfit.

— Les femmes, s'écria-t-il, sont vraiment des démons ! Bonjour, monsieur Poirot. Belle journée, n'est-ce pas?

Ils revinrent ensemble vers la maison.

Blunt poussa un soupir et dit :

— Ah ! ma femme me manque !

S'asseyant à table, il attaqua de front la redoutable Mrs Olivera.

— J'ai bien peur, Julia, que vous n'ayez blessé la pauvre Hélène !

La grosse dame répondit d'un ton sec :

— Les Ecossais sont toujours très susceptibles.

Alistair Blunt coula vers Poirot un regard de détresse et n'insista pas.

— Je crois, dit Poirot, que vous avez un jeune jardinier qui ne doit pas être chez vous depuis longtemps.

— C'est exact, répondit Blunt. Burton, mon troisième jardinier, nous a quittés il y a environ trois semaines et c'est ce garçon qui l'a remplacé.

— Savez-vous d'où il venait?

— Ma foi, non! C'est MacAlister qui l'a engagé, Je crois me rappeler que quelqu'un m'avait demandé de le prendre à l'essai. On me l'avait chaudement recommandé... et cela m'étonne un peu! Car MacAlister me dit qu'il ne vaut pas grand-chose et qu'il a fortement envie de se débarrasser de lui.

— Comment s'appelle-t-il?

— Dunning... Sunbury... Quelque chose comme ça!

— Serait-il très indiscret de vous demander ce qu'il gagne?

— Du tout! répondit Blunt, amusé. Deux livres quinze, je pense.

— Pas plus?

— Certainement pas... et probablement un peu moins!

— Eh bien! conclut Poirot, voilà qui est curieux!

Alistair Blunt, surpris, allait demander pourquoi, mais Jane Olivera, qui venait de parcourir le journal, détourna la conversation.

— On dirait, mon oncle, s'écria-t-elle, qu'il y a encore eu contre vous une levée de boucliers!

Alistair Blunt sourit.

— Tu lis le compte rendu du débat à la Chambre des Communes? Ce n'est rien de grave, rassure-toi! Il ne s'agit que d'Archerton!... Il adore se battre contre les moulins. C'est un type curieux, qui a, en matière de finances, des idées ridicules. Si on le laissait faire, en huit jours, l'Angleterre ferait banqueroute !

— Mais, mon oncle, tu n'as donc jamais envie d'essayer quelque chose de nouveau?

— Non, ma chère. A moins que ce nouveau ne marque un progrès sur l'ancien qu'il est appelé à remplacer.

— Mais, l'idée même que ce nouveau pourrait marquer un progrès, tu ne l'acceptes pas! Tu dis : « Ça ne marchera pas!... » et tu n'essaies même pas!

— Il y a des expériences qui coûtent très cher.

— C'est vrai ! Mais comment peux-tu être satisfait des choses telles qu'elles vont? L'inégalité des conditions sociales ne te révolte pas? Tu ne crois pas qu'il est absolument nécessaire de faire quelque chose?

— Mon Dieu, ma petite Jane, tout bien considéré, les choses ne vont pas dans ce pays aussi mal qu'on veut bien le dire !

Avec une violence à peine inattendue, Jane répliqua :

— Ce qu'il nous faut, c'est un idéal nouveau, un monde nouveau ! Et tu restes là, tranquillement assis, devant tes rognons grillés !

Elle se leva et, d'un pas rapide, gagna le jardin.

Alistair la regarda partir, un peu surpris et assez gêné.

— Jane a beaucoup changé ces derniers temps, remarqua-t-il. Où va-t-elle chercher toutes ces idées-là?

— Ne fais pas attention à ce qu'elle dit, répondit Mrs Olivera. Jane est une petite sotte. Tu sais ce que sont les jeunes filles d'aujourd'hui. Elles vont dans des salons bizarres, où elles rencontrent des jeunes gens qui portent des cravates invraisemblables, et quand elles rentrent à la maison elles racontent un tas de bêtises.

— Je sais. Mais Jane, jusqu'à présent, ne manquait pas de bon sens...

— C'est un genre, Alistair, une mode ! Ces idées-là sont dans l'air !

— Je sais...

Mrs Olivera se levait. Poirot lui ouvrit la porte. Elle n'eut pas l'air de s'en apercevoir et passa devant lui sans un mot.

— Tout ça finit par m'exaspérer, s'écria Alistair Blunt. Ces propos-là, tout le monde les tient, je le sais fichtre bien ! Ils ne sont pas plus sensés pour ça ! Ce sont des absurdités... et je les entends à toute heure du jour. Un idéal nouveau et un monde nouveau !... Qu'est-ce que ça veut dire? Ils ne le savent pas eux-mêmes. Ils se grisent de mots et c'est tout.

Il eut un sourire un peu triste.

— Si vous étiez... écarté, demanda Poirot, que se passerait-il?

Le visage d'Alistair Blunt prit une gravité soudaine.

— Oh ! répondit-il. C'est très simple et je vais vous le dire. Une bande de fous s'emparerait du pouvoir et tenterait toute une suite d'expériences coûteuses. Et c'en serait fini de la stabilité financière, des saines pratiques économiques et même du simple bon sens ! En fait, c'en serait fini de l'Angleterre telle que nous l'aimons...

Poirot approuva du chef. Il était pleinement d'accord avec le financier. Les principes qu'il défendait, c'étaient ceux-là mêmes qui lui étaient chers et il commençait à mieux comprendre ce que représentait exactement

Alistair Blunt et ce pour quoi il combattait. Mr Barnes le lui avait dit déjà, mais c'est maintenant seulement qu'il se rendait compte.

Et, soudain, il se sentit inquiet...

II

Un peu plus tard dans la matinée, Blunt, sortant de son bureau, vint vers Poirot.

— J'en ai terminé avec mon courrier, lui dit-il. Venez, je vais vous faire les honneurs du jardin.

Les deux hommes sortirent ensemble. Blunt parlait avec enthousiasme de sa chère passion et ils s'attardèrent un bon moment dans le jardin alpestre, où il avait réussi à acclimater quelques espèces rares dont il était très fier. Hercule Poirot, les pieds littéralement gantés par de fines chaussures de cuir, écoutait avec patience. Il portait son poids alternativement sur une jambe et sur l'autre, grimaçant de temps en temps, car le soleil était chaud et il avait l'impression que ses pieds, gonflés, étaient d'énormes puddings.

Ils continuèrent leur promenade. Des abeilles passaient en bourdonnant. On entendait, pas très loin, le cliquetis régulier d'un sécateur qui faisait la toilette d'une haie de lauriers. Tout était calme et comme assoupi.

Blunt s'arrêta et se retourna pour regarder derrière lui. Le bruit du sécateur était maintenant tout proche, encore qu'on n'aperçût pas celui qui tenait l'instrument.

— Convenez, dit le financier, que le coup d'œil est joli. Ces poires seront splendides ! Je ne me souviens pas de les avoir vues si jolies à cette époque de l'année. Et ces lupins sont ravissants ! Ne sont-ils pas d'une couleur magnifique?

Et, soudain, le calme de cette matinée paisible fut troublé par le claquement d'un coup de feu. Quelque chose siffla dans l'air. Alistair Blunt, stupéfait, vit, non loin, un mince filet de fumée qui s'élevait derrière le paravent de lauriers. Puis il y eut un bruit de dispute, des cris, et la haie s'entrouvrit sous le poids de deux hommes enlacés qui se battaient.

— Je te tiens, fripouille ! criait une voix à l'accent américain très prononcé. Lâche ton arme !

Les deux hommes, maintenant, se battaient devant la haie. Poirot reconnut le jeune jardinier qui bêchait avec tant d'ardeur lorsqu'il l'avait observé et aussi son adversaire, qui avait nettement le dessus, un grand gaillard qui le dépassait d'une tête et que le détective, avant même de le voir, avait identifié sur son seul accent.

— Lâchez-moi ! hurlait Frank Carter. Puisque je vous dis que ce n'est pas moi.

— Vraiment? répliquait Howard Raikes. Tu tirais sur les moineaux, sans doute?

Sans lâcher son prisonnier, il se tourna vers Alistair Blunt et Poirot qui s'approchaient.

— Monsieur Alistair Blunt?... Ce gars-là vient de vous tirer dessus. Je l'ai pris sur le fait !

— Ce n'est pas vrai ! cria Frank Carter. J'émondais la haie, j'ai entendu le bruit d'un coup de feu et un revolver est tombé à mes pieds. Je l'ai ramassé, presque machinalement, et tout de suite après ce type-là m'est tombé dessus !

Howard Raikes haussa les épaules.

— Vous teniez le revolver à la main et, une chose est sûre, on venait de tirer avec !

Il tendit l'arme à Poirot.

— Nous allons bien voir ce qu'en pense un détective !... Une chance que je sois arrivé à temps, car il doit y avoir d'autres balles dans le chargeur !

— C'est juste, dit Poirot.

Blunt, sourcils froncés, interrogeait Carter.

— Comment vous appelez-vous exactement? Dunnon? Dunbury?

Poirot répondit à la place de l'interpellé :

— Cet homme s'appelle Frank Carter.

L'autre se tourna vers lui, furieux.

— Il y a assez longtemps que vous me cherchez ! Je l'ai bien compris, l'autre dimanche, quand vous avez voulu me faire parler !... En tout cas, je vous le répète, ce n'est pas vrai ! Ce n'est pas moi qui ai tiré !

— Alors, dit Poirot d'une voix aimable, *qui est-ce*? Vous comprenez, nous ne sommes que quatre ici, il n'y a personne d'autre. Alors?

III

Cheveux au vent, les yeux agrandis par la peur, Jane Olivera arrivait en courant.

— Howard? dit-elle, s'arrêtant hors d'haleine.

— Jane, répondit-il avec bonne humeur, je suis heureux de vous apprendre que je viens de sauver la vie de votre oncle !

— *Vous?* fit-elle, stupéfaite.

— Il est certain, dit Blunt, que vous êtes arrivé bien à propos, monsieur... Monsieur?...

Jane intervint :

— Mon oncle, je te présente Howard Raikes, qui est un ami à moi...

Blunt regarda Raikes et sourit d'un air entendu.

— Ah ! ah ! Vous êtes le chevalier servant de Jane !... Je vous dois des remerciements.

Précédée d'un bruit qui faisait songer au halètement d'une locomotive sous pression, Julia Olivera apparut.

— J'ai entendu un coup de feu, expliqua-t-elle en pantelant. Est-ce que...

Le reste lui resta dans la gorge. Elle venait d'apercevoir Howard Raikes. D'abord interdite, elle se ressaisit pour l'interpeller.

— *Vous?...* Mais que faites-vous ici? Comment osez-vous...

— Maman, dit Jane d'une voix glacée, Howard vient de sauver la vie de mon oncle !

— Comment?

— Parfaitement ! Cet homme tirait sur mon oncle quand Howard lui a sauté dessus et lui a arraché l'arme des mains.

— Vous mentez ! s'écria Frank Carter avec violence.

Mrs Olivera ne savait plus que dire. Elle resta un moment sans parler, la bouche ouverte. Puis elle se tourna vers Blunt.

— Heureusement, mon cher Alistair, tu n'as pas été touché ! Mais c'est une aventure terrible et tu as dû éprouver une effroyable émotion. Pour moi, j'en suis encore toute bouleversée. Pour un peu, je me trouverais mal ! Je me demande si je ne ferais pas bien de prendre un petit verre de cognac...

— Excellente idée, dit Blunt. Rentrons...

Elle prit son bras, sur lequel elle pesait lourdement. Blunt se mit en marche, se retournant pour faire signe à Poirot et à Howard Raikes, qui s'apprêtaient à suivre.

— Amenez-le ! dit-il. Nous allons téléphoner à la police et nous le lui remettrons.

Frank Carter ouvrit la bouche pour répondre, mais les mots ne voulaient pas sortir. Il était pâle comme un linge et ses jambes se dérobaient sous lui, Howard Raikes l'empoigna par le coude avec rudesse.

— En route, toi !

Frank Carter protestait encore faiblement.

— Je n'ai rien fait !

Howard Raikes regarda Poirot.

— Pour un fin limier, remarqua-t-il, vous avez vraiment peu à dire ! Pourquoi ne faites-vous pas comprendre à cet individu qu'il perd son temps à nier?

— Parce que je réfléchis, monsieur Raikes.

— Vous en avez besoin, car en bonne logique vous devriez donner votre démission. Si Alistair Blunt est toujours en vie, en effet, ce n'est pas *grâce à vous* !

— Alors que vous en êtes, vous, à votre deuxième exploit !

— Que voulez-vous dire?

— C'est bien vous, n'est-ce pas, qui, il y a quelques jours, arrêtiez l'homme qui venait de tirer sur Mr Blunt et sur le Premier ministre?

Howard Raikes hésita quelques secondes avant de répondre, avec un enjouement feint.

— En effet, on dirait que ça devient chez moi une habitude !

— Oui, dit Poirot. Seulement, il y a une différence. L'autre jour, *l'homme que vous arrêtiez n'était pas celui qui avait tiré*. Vous vous trompiez !

— Il se trompe encore aujourd'hui, grogna Frank Carter.

— C'est ce que je me demande, murmura Poirot, de façon à n'être entendu de personne.

IV

Debout devant sa glace, absorbé dans la délicate opération consistant à assurer la parfaite symétrie des deux ailes de son nœud de cravate, Hercule Poirot s'habillait pour le dîner.

Il n'était pas content, mais il aurait été très embarrassé s'il lui avait fallu dire pourquoi.

L'affaire, il était obligé d'en convenir, était très claire. Frank Carter avait été pris sur le fait.

Poirot n'éprouvait pas la moindre sympathie pour Carter et n'avait aucune confiance en lui. Il le jugeait sans passion et le tenait pour « un type peu intéressant », une de ces séduisantes fripouilles qui, même lorsqu'elles sont indéfendables, trouvent toujours des gens, des femmes surtout, pour plaider leur cause.

Son système de défense était d'une faiblesse affligeante. Il racontait avoir été approché par des agents de l'Intelligence Service, qui lui auraient demandé de faire « du renseignement ». Il devait entrer comme jardinier au service de Blunt et leur apporter les faits et gestes de ses collègues. L'histoire ne reposait sur rien, la chose avait été facilement démontrée. Elle était d'ailleurs d'une pauvreté d'invention lamentable. C'était bien là, songeait Poirot, le genre de fable qu'on pouvait attendre d'un Carter.

Quant à l'attentat même, Carter répétait que ce n'était pas lui qui avait tiré, qu'il était victime d'un guet-apens, d'une machination à laquelle il ne comprenait rien. On ne pouvait vraiment rien dire pour le défendre.

Rien, sinon qu'il était tout de même étrange que,

par deux fois, à quelques jours d'intervalle, Howard Raikes se fût trouvé là au moment précis où des coups de revolver étaient tirés sur Alistair Blunt.

Mais il était difficile de voir là plus qu'une coïncidence. L'attentat de Downing Street, ce n'était certainement pas Raikes qui en était l'auteur et sa présence à Exsham n'avait rien d'extraordinaire. Il était venu pour être près de celle qu'il aimait et son histoire, à lui, il fallait bien en convenir, se tenait parfaitement.

L'événement, certes, l'avait servi de façon providentielle. Quand un homme vient de vous sauver la vie, vous ne pouvez pas lui interdire l'accès de votre maison et le moins que vous puissiez faire est de lui témoigner de l'amitié et de lui offrir l'hospitalité. Alistair Blunt n'y avait pas manqué. La chose ne plaisait guère à Mrs Olivera, mais elle se rendait compte qu'elle ne pouvait l'empêcher et qu'il lui fallait, bon gré mal gré, supporter cet indésirable qui, ayant mis un pied dans la maison, entendait bien l'y maintenir.

Poirot, qui méditait son problème, observa Howard Raikes durant toute la soirée. Jouant son rôle avec adresse, le jeune homme se gardait bien d'exposer ses idées révolutionnaires et de parler politique. Il racontait d'amusantes histoires de voyage, souvenirs de randonnées pédestres en des pays perdus.

« Le loup, songeait Poirot, s'est déguisé en mouton. Je serais curieux de savoir ce qu'il y a en dessous ! »

Poirot se préparait pour la nuit quand on frappa à sa porte. Il répondit : « Entrez ! » et vit apparaître Howard Raikes, très à l'aise et, semblait-il, très amusé de la surprise qu'il causait.

— Vous ne vous attendiez pas à me voir? dit le jeune homme. Je vous ai beaucoup regardé, ce soir, et vous m'avez fait de la peine. Vous aviez l'air pensif, préoccupé...

— Peut-être, mais pourquoi cela vous aurait-il inquiété?

— Je l'ignore, mais le fait est que cela m'a ennuyé. Je me suis dit que vous deviez trouver certaines choses un peu difficiles à encaisser !

— Et quand ce serait?

— Alors, j'ai pensé que mieux valait vous dire toute la vérité. A propos de l'autre jour... Effectivement, vous l'avez deviné, je me suis, ce jour-là, assez gentiment moqué de la police. Sans préméditation, d'ailleurs. Je regardais le Premier sortir du 10, Downing Street, quand j'ai vu Ram Lal tirer sur lui. Ram Lal, je le connais. C'est un très brave garçon, qui a la tête un peu chaude, mais qui mène le bon combat pour la libération des Indes. L'attentat était manqué, la balle était passée à des kilomètres des précieuses panses des deux grands personnages que vous savez. J'ai donc décidé de jouer un petit sketch qui donnerait à Ram Lal une chance de s'échapper. J'ai attrapé au collet un petit bonhomme qui se trouvait près de moi et j'ai hurlé que je tenais le type qui avait fait le coup. J'espérais que Ram Lal en profiterait pour filer, mais les flics étaient déjà sur lui. C'est exactement comme ça que les choses se sont passées !

— Et ce matin?

— Ce matin, c'est tout autre chose. Il n'y avait pas de Ram Lal dans le secteur et c'est bien Carter qui a tiré. Il avait encore le revolver à la main quand je lui ai sauté dessus. J'imagine qu'il allait tirer une seconde fois...

Poirot écoutait, visiblement sceptique.

— Vous étiez tellement soucieux de protéger la personne de Mr Blunt?

Raikes sourit.

— Après ce que je vous ai raconté l'autre jour, ça vous paraît bizarre? Je comprends ça! J'estime que Blunt est, dans l'intérêt de l'humanité, un homme qu'il faut supprimer. Mais, entendons-nous! Ce n'est pas à lui personnellement que j'en ai. Au contraire, dans son genre, je le trouve assez sympathique. Mes idées sont restées ce qu'elles étaient hier... Et, pourtant, quand j'ai vu un type qui le prenait pour cible, j'ai bondi pour détourner le coup. Ça prouve seulement que l'homme est un animal dont tous les actes ne sont pas gouvernés par une logique rigoureuse!

— Il y a, dit sentencieusement Poirot, un large fossé entre la théorie et la pratique.

— C'est bien mon avis.

Raikes, qui s'était assis sur le lit, se leva. Il souriait toujours.

— Quoi qu'il en soit, conclut-il, j'ai pensé que c'était un point sur lequel je vous devais quelques explications. C'est fait. Je me retire. Bonne nuit, monsieur Poirot!

Il sortit, fermant doucement la porte derrière lui.

V

Délivrez-nous, Seigneur, des méchants...

Mrs Olivera ne chantait pas très juste, mais il y avait dans le ton une conviction qui indiquait clairement que le « méchant » avait pour elle, ce matin-là, un visage bien défini : celui de Mr Howard Raikes.

C'était du moins l'opinion de Poirot qui, aux côtés de son hôte, assistait à l'office dominical dans la petite église du village. Howard Raikes, quand il les avait vus prêts à partir, avait souri, un peu méprisant, et avait demandé à Mr Blunt « s'il allait à la messe régulièrement ». Alistair avait marmonné une réponse vague, disant qu'il était à la campagne des obligations auxquelles il était difficile de se soustraire, et qu'on ne pouvait pas « laisser tomber » le curé, sentiment typiquement britannique, qui avait étonné le jeune Américain, mais que Poirot, lui, avait parfaitement compris.

Des voix enfantines, très hautes, chantaient :

Leurs langues sont pointues comme celle du serpent
Et le venin se cache sous leurs lèvres...

Ténors et basses reprenaient :

Préservez-moi, Seigneur, des lâches infidèles
Et des entreprises des méchants...

Hercule Poirot joignit au chœur un incertain baryton :

Ils m'ont tendu un piège, un filet aux mailles serrées,
Et des traquenards m'attendent sur la route...

Il n'alla pas plus loin et resta la bouche ouverte.

Il *voyait tout*, maintenant, et notamment le piège dans lequel il était presque tombé.

Un piège habilement tendu, un filet aux mailles serrées...

Hercule Poirot ne bougeait pas. Il restait debout, regardant devant lui sans voir, comme un homme endormi d'un sommeil hypnotique. Les autres s'étaient rassis, non sans bruit, mais il ne s'en était pas aperçu et il fallut, pour le rappeler à la réalité, un petit coup discret que Jane Olivera lui donna sur le bras.

L'officiant se mit à lire :

— *Ici commence le quinzième chapitre du premier livre de Samuel...*

Poirot écoutait sans entendre.

Son cerveau travaillait : des faits, jusqu'alors sans rapports apparents les uns avec les autres, s'ordonnaient maintenant en une construction logique. Tout trouvait sa place, tout s'expliquait. Poirot songeait à des boucles de souliers, à une paire de bas, à un visage écrasé, aux déplorables goûts littéraires d'Alfred, le groom, à l'activité de M. Amberiotis, au rôle joué par Mr Morley et, pour la première fois, il examinait l'affaire comme elle devait l'être.

La lecture s'achevait :

— *Car la révolte est péché voulu par le démon. Parce que tu as rejeté la parole de Dieu, Dieu t'a privé de la royauté. Ici prend fin le premier livre.*

L'esprit toujours ailleurs, Hercule Poirot se leva pour entonner le *Te Deum* avec les autres.

CHAPITRE VII

TREIZE, QUATORZE, DES FILLES SE FONT FAIRE LA COUR...

I

— Monsieur Reilly, n'est-ce pas?

Le jeune Irlandais, très surpris, se retourna à demi pour regarder qui lui parlait. Il vit, debout à côté de lui près du long comptoir de la Compagnie de Navigation, un petit homme aux fortes moustaches, dont la tête avait la forme d'un œuf.

— Peut-être ne vous souvenez-vous pas de moi? demanda le petit homme.

— Vous êtes trop modeste, monsieur Poirot! Vous n'êtes pas de ceux qu'on oublie facilement!

Reilly répondit à l'employé qui attendait, de l'autre côté du comptoir, puis revint à Poirot, qui lui posait une nouvelle question :

— Vous quittez l'Angleterre pour les vacances?

— Ce ne sont pas des vacances que je prends. Mais, vous-même, monsieur Poirot? Vous vous en allez?

— Il m'arrive de temps en temps d'aller passer quelques jours dans mon pays, en Belgique, répondit Poirot.

— Je vais plus loin que ça, reprit Reilly. Je vais en Amérique... et je n'ai pas l'intention de revenir !

— Je suis navré d'apprendre cela, monsieur Reilly. Vous abandonneriez votre clientèle de Queen Charlotte Street?

— Il serait plus exact de dire que c'est elle qui m'a abandonné !

— Vraiment?... C'est bien triste !

— Oh ! ça ne me chagrine pas. Quand je pense aux dettes que je vais laisser derrière moi, je me trouve très heureux !

Il ajouta, avec un sourire :

— Ce n'est jamais moi qui me tuerai pour des ennuis d'argent ! Quand ils deviennent trop pressants, faites une croix sur vos dettes et repartez à zéro ! J'ai mes diplômes et je suis un peu confus de le dire moi-même, ils sont excellents !

Poirot dit, très bas :

— J'ai vu miss Morley, l'autre jour.

— Ça vous a amusé?... Je parierais que non ! Je n'ai jamais rencontré pareille figure de carême. Je me suis souvent demandé comment elle serait, un peu saoule, mais c'est une chose que personne ne saura jamais !

Poirot sourit à peine.

— Approuvez-vous le verdict rendu par la cour quant à la mort de votre associé? demanda-t-il.

— Absolument pas ! répondit Reilly, en détachant les syllabes.

— Vous ne pensez pas qu'il a commis une erreur?

— Si Morley a injecté à ce Grec la quantité d'anesthésique qu'on prétend, de deux choses l'une : ou il était complètement ivre, ou il voulait le tuer. Or, je ne l'ai jamais vu boire !

— Alors, il savait très bien ce qu'il faisait?

— Je ne voudrais pas dire ça. C'est une accusation très grave. Et, à mon opinion, elle ne serait pas justifiée.

— Il doit pourtant y avoir une explication !

— C'est bien mon avis... Mais je ne la vois pas !

— Quand avez-vous vu Morley pour la dernière fois?... Morley vivant, bien entendu !

— Voyons... Tout cela est déjà bien loin pour répondre à une question pareille?... Ce fut, je crois bien, la veille de sa mort... Le soir, vers sept heures moins le quart...

— Vous ne l'avez pas vu le jour même de sa mort?

— Non.

Poirot insistait :

— Vous en êtes sûr?

— Je n'affirme rien, mais il ne me semble pas !

— Vous ne seriez pas monté à son cabinet vers onze heures trente-cinq?... Il y avait un malade dans le fauteuil...

— Vous avez raison. Maintenant, je m'en souviens ! Je voulais lui poser une question, d'ordre technique, à propos d'instruments que j'étais en train de commander. La maison m'avait demandé une précision au téléphone. Je ne suis resté avec lui qu'une minute et c'est pour cela que la chose m'était sortie de la mémoire. Effectivement, il était en train de donner des soins à un malade...

Poirot hochait la tête.

— Il y a, reprit-il, une autre question que je voudrais vous poser depuis longtemps. Un de vos malades, Mr Raikes, est parti, sans plus se soucier de son rendez-vous. Vous avez eu, de ce fait, une demi-heure de loisir. Comment l'avez-vous employée?

— Comme je le fais toujours en pareille circonstance. Je me suis confectionné un cocktail. Ensuite est venu ce coup de téléphone, qui m'a amené à monter une minute chez Morley.

— Je crois également avoir compris que vous n'avez pas eu de malade, de midi et demi à une heure, après le départ de Mr Barnes. Au fait, à quelle heure exactement vous a-t-il quitté?

— Un tout petit peu après midi et demi.

— Et qu'avez-vous fait alors?

— Comme avant! Je me suis fabriqué un cocktail!

— Et vous êtes remonté voir Morley?

Mr Reilly sourit.

— Est-ce que vous voudriez insinuer que je suis grimpé là-haut pour le tuer? demanda-t-il. Je vous ai déjà dit, et il y a longtemps, que je n'en ai rien fait. Je le répète, tout en reconnaissant que vous êtes obligé de me croire sur parole.

— Et que pensez-vous d'Agnès, la petite femme de chambre?

La question étonnait le dentiste.

— Pourquoi me demandez-vous ça?

— Parce que j'aimerais le savoir!

— Eh bien! je vais vous répondre. Je ne me suis jamais occupé d'elle. Georgina avait l'œil sur ses bonnes. En quoi elle avait parfaitement raison!... Et j'ajoute que la petite ne m'a jamais regardé, ce qui semblerait prouver qu'elle manquait de goût!

— Pour moi, dit Poirot, elle sait quelque chose.

Son regard interrogeait Reilly, qui hocha la tête en souriant.

— Ça, fit-il, ce n'est pas à moi qu'il faut le demander! Je l'ignore et je ne puis vous être d'aucun secours.

Il ramassa les billets qui se trouvaient devant lui, salua Poirot et s'éloigna, toujours souriant.

Il ne restait plus à Poirot qu'à expliquer, à un employé que cette décision désolait, qu'il avait renoncé, après mûres délibérations, à cette croisière qu'il avait envisagé de faire dans les capitales nordiques.

II

Poirot fit une nouvelle visite à Hampstead.

Mrs Adams fut un peu surprise de le revoir. Bien qu'il lui eût été présenté par un inspecteur-chef de Scotland Yard, qui était pour lui comme une caution, elle le considérait comme « un drôle de petit étranger », et ne le prenait guère au sérieux. Malgré cela, elle ne demandait qu'à lui parler.

L'information initiale relative à l'identité de la victime avait été donnée par les journaux comme une nouvelle sensationnelle, mais les découvertes faites au cours de l'enquête n'avaient reçu que peu de publicité. Le public savait que le corps de Mrs Chapman avait été pris tout d'abord pour celui de miss Sainsbury Seale, mais c'était tout ! Il ignorait, non pas seulement que miss Sainsbury Seale avait probablement été la dernière personne à voir vivante la malheureuse Mrs Chapman, mais aussi qu'elle pouvait très bien, un jour ou l'autre, être inculpée de meurtre.

Mrs Adams avait été très heureuse d'apprendre que le cadavre trouvé dans l'appartement de Mrs Chapman n'était pas celui de son amie et elle ne paraissait pas se douter que des soupçons pouvaient peser sur Mabelle Sainsbury Seale.

— Pour moi, monsieur Poirot, disait-elle, j'en ai la conviction : c'est un cas d'amnésie !

Poirot admit que c'était très probable. Les précédents étaient innombrables. Mrs Adams en rappela un qui la touchait de près : une de ses cousines qu'on avait guérie à force de soins, longs et coûteux. Poirot lui demanda ensuite si elle avait jamais entendu miss Sainsbury Seale parler d'une Mrs Albert Chapman.

Non, Mrs Adams ne se souvenait pas que son amie eût jamais mentionné devant elle personne de ce nom. Mais, naturellement, miss Sainsbury Seale ne lui avait pas parlé de tous les gens qu'elle connaissait. Qui était cette Mrs Chapman? La police savait-elle qui l'avait tuée?

Poirot répondit que c'était encore un mystère, puis demanda à Mrs Adams qui avait recommandé Mr Morley, comme dentiste, à miss Sainsbury Seale? Mrs Adams n'en savait rien. Personnellement, elle était soignée par Mr French, de Harley Street, et si Mabelle l'avait priée de lui indiquer l'adresse d'un dentiste, c'est la sienne qu'elle aurait donnée.

Poirot dit alors qu'il était très possible que Morley eût été recommandé à miss Sainsbury Seale par Mrs Chapman elle-même. Mrs Adams partageait cet avis. Il lui semblait d'ailleurs qu'on devait pouvoir se procurer le renseignement au cabinet même du dentiste. Poirot répondit qu'il y avait songé. Miss Nevill, à qui il avait posé la question, ne se souvenait pas. Elle se rappelait très bien Mrs Chapman, mais il ne lui semblait pas qu'elle eût jamais fait allusion devant elle à une miss Sainsbury Seale, un nom assez singulier qu'elle aurait certainement retenu.

Poirot continuait à interroger. Mrs Adams confirma que c'était bien aux Indes qu'elle avait fait la connaissance de miss Sainsbury Seale, ce qui amena Poirot à lui demander si elle savait si, aux Indes, miss Sainsbury Seale avait rencontré Mr et Mrs Alistair Blunt.

— Je ne crois pas, répondit Mrs Adams. C'est du

gros banquier que vous parlez? Il était bien aux Indes avec sa femme, il y a quelques années, mais je suis sûre — ou à peu près — que Mabelle ne le connaissait pas. Elle me l'aurait certainement dit.

Avec un fin sourire, elle ajouta :

« Alistair Blunt était reçu chez le vice-roi, c'était déjà un personnage considérable, un de ces hommes dont on ne déteste pas de rappeler qu'ils sont de vos relations. Au fond du cœur, nous sommes tous un petit peu snob !

— Elle ne vous a jamais parlé de Mrs Alistair Blunt?

— Jamais !

— Si elle avait été des intimes de Mrs Blunt, vous l'auriez su, très probablement?

— Certainement !... Les Blunt appartenaient à un monde qu'elle ne fréquentait pas. Les amis de Mabelle étaient des gens très ordinaires, des gens comme nous...

Hercule Poirot protesta poliment et Mrs Adams continua à parler de Mabelle Sainsbury Seale, comme elle eût parlé de quelqu'un qui venait de mourir. Elle rappelait le bien fait par Mabelle, sa gentillesse, son dévouement aux œuvres auxquelles elle s'intéressait...

Poirot écoutait. Comme Japp l'avait souligné, Mabelle Sainsbury Seale était « tout ce qu'il y a d'authentique ». Elle avait vécu à Calcutta, donné là-bas des leçons de diction, fréquenté les indigènes, on la connaissait et on la tenait pour une personne respectable, un peu « esbrouffeuse » et manquant parfois d'intelligence, mais remplie de bonnes intentions et possédant ce qu'il est convenu d'appeler un cœur d'or.

« Tout ce qu'elle entreprenait, poursuivait Mrs Adams, elle le faisait avec une sorte de passion. Elle disait toujours que les gens étaient sans ressort et difficiles à secouer. Elle avait beaucoup de peine à les décider à subventionner ses œuvres. Les impôts étaient lourds, le prix de la vie allait toujours en augmentant, d'année en année les souscriptions se faisaient plus réduites. Je me souviens qu'un jour elle me dit : « Quand on sait ce que l'argent peut « faire, le bien qu'il rend possible, on a parfois le « sentiment — moi, du moins — qu'on commettrait « un crime pour en posséder!... » Vous voyez par là, monsieur Poirot, avec quelle ferveur elle se dévouait à ceux auxquels elle voulait venir en aide !

Poirot demanda quand ce propos avait été tenu et apprit qu'il était vieux de trois mois à peine. Il posa encore quelques menues questions sans grand intérêt, puis se retira, tout songeur.

Il pensait à Mabelle Sainsbury Seale et s'efforçait de préciser les contours du personnage. C'était une très brave femme, gentille, active, inspirant la sympathie et le respect. Une femme « bien ». De celles qui, à en croire Mr Barnes, étaient très susceptibles de devenir des criminelles...

Elle était revenue des Indes sur le même bateau que M. Amberiotis et il y avait lieu de croire qu'elle avait déjeuné avec lui au Savoy. Elle avait abordé Alistair Blunt, prétendant le connaître et avoir été l'amie intime de sa femme. Par deux fois, elle s'était rendue à cet appartement des King Leopold Mansions où, plus tard, un cadavre devait être trouvé, revêtu de ses vêtements et gisant près d'un sac à main qui lui appartenait, identifiant le corps — en apparence, du moins — de façon évidente.

De façon *un peu trop* évidente, même !

Elle avait disparu subitement du Glengowrie Court Hotel, après un entretien avec un officier de police.

Tous ces faits s'expliquaient-ils par la théorie échafaudée par Poirot?

Il en était maintenant convaincu.

III

Tout en méditant, Poirot était revenu à pied jusqu'à Regent's Park, qu'il décida de traverser en partie avant de prendre un taxi. Il savait par expérience le moment précis où ses jolies chaussures commençaient à lui faire mal et tenait qu'il pouvait marcher encore un peu.

C'était une belle journée d'été et Poirot regardait d'un œil indulgent les nourrices et les gouvernantes à qui de jeunes hommes débitaient de galants propos, tout en surveillant distraitement les enfants dont elles avaient la garde. Des chiens jappaient, partageant les jeux du petit monde qui s'ébattait dans les allées et sur les pelouses. Des gosses lançaient sur les bassins des bateaux miniatures.

Presque sous chaque arbre, il y avait un couple. Poirot, attendri, murmurait : « Ah ! jeunesse ! » et souriait. Ces petites Londoniennes ne manquaient pas de chic. Leurs robes n'étaient pas toujours du meilleur goût, mais elles les portaient avec beaucoup d'allure. Il les appréciait du regard et les plaignait un peu. Où était la belle ligne d'antan? Qu'étaient devenues ces formes harmonieuses qu'on ne pouvait voir sans les admirer?

Il se souvenait de femmes qu'il avait connues. Et d'une, en particulier, qui était une créature d'une éblouissante beauté. Un oiseau de paradis, une Vénus...

Toutes ces petites filles étaient jolies, certes, mais

il n'en était pas une qui fût digne de dénouer les lacets de souliers de la comtesse Vera Rossakoff. Une grande dame russe, aristocrate jusqu'au bout des ongles. Et aussi, il ne l'oubliait pas, une voleuse de toute première force. Dans son genre, une manière de génie...

Poirot, avec un soupir, s'arracha à sa rêverie et revint au spectacle qui l'entourait. Les jeunes nourrices n'étaient pas seules à se laisser conter fleurette sous les ombrages de Regent's Park. Il apercevait là-bas, sous un tilleul, une robe qui ne pouvait venir que de chez Schiaparelli, et celle qui la portait était serrée de près par un jeune homme qui plaidait sa cause avec chaleur. Il ne faut pas se rendre trop vite ! Cette jolie fille s'en doutait-elle? Il l'espérait pour elle...

Et, comme il regardait le couple, il lui sembla que ces deux sihouettes lui étaient vaguement familières. Mais oui, c'étaient là Jane Olivera et son jeune révolutionnaire importé des Etats-Unis !

Son visage changea et c'est l'œil sévère et la mine rébarbative qu'après une courte hésitation il s'engagea sur le gazon pour aller saluer Jane Olivera d'un large coup de chapeau.

— Bonjour, mademoiselle ! dit-il en français.

Son arrivée ne parut pas déplaire à la jeune fille, mais Howard Raikes n'essaya même pas de dissimuler sa contrariété.

— Ah ! grommela-t-il, *c'est encore vous !*

Jane Olivera répondit gentiment à Poirot :

— Bonjour, monsieur Poirot. C'est toujours de façon inattendue que vous nous tombez dessus !

— Comme un pantin qui sort d'une boîte ! ajouta Raikes, dont le regard courroucé ne lâchait pas le petit homme.

— J'espère, dit Poirot, que je ne vous dérange pas?

— Pas le moins du monde, déclara Jane Olivera, pendant que son compagnon, la mine renfrognée se gardait de parler.

— Vous avez trouvé là un coin bien agréable, reprit Poirot.

— *Il l'était!* lança Howard Raikes.

Jane Olivera le rappela à l'ordre.

— Du calme, Howard! Vous avez besoin d'apprendre les bonnes manières!

Avec un ricanement désagréable, il répliqua :

— A quoi servent-elles?

— A la longue, répondit Jane Olivera, on s'aperçoit qu'elles sont utiles. Pour ma part, j'en manque un peu, mais, en ce qui me concerne, ça n'a pas grande importance! D'abord, parce que je suis riche, ensuite, parce que je ne suis pas trop vilaine et que j'ai quelques amis influents, et, enfin, parce que je ne suis affligée d'aucune de ces fâcheuses disgrâces dont les annonces des journaux nous entretiennent avec tant de complaisance. Tout ça me permet de me tirer d'affaire sans bonnes manières!

Raikes se levait.

— Je ne suis pas d'humeur à badiner, dit-il d'un ton sec. Permettez-moi de prendre congé!

Il salua Poirot d'un bref mouvement de tête et s'éloigna, suivi du regard par la jeune fille qui, un peu stupéfaite, n'avait pas bougé et restait assise, au pied de son arbre, le menton dans sa main.

— Hélas! fit Poirot. Le proverbe est bien vrai qui dit que, lorsqu'on vous fait la cour, la compagnie cesse lorsqu'on est plus de deux!

— Lorsqu'on vous fait la cour? Vous croyez que c'est l'expression qui convient?

— Mon Dieu, oui ! Quand un jeune homme comble d'attentions et de prévenances une jeune fille avant de demander sa main, n'est-ce pas celle qu'on emploie ?

— Vous dites des choses bien amusantes, monsieur Poirot.

Poirot chantonna doucement :

— *Treize, quatorze, des filles se font faire la cour...* Regardez-les ! Elles ne manquent pas.

Elle répliqua, piquée :

— Vous voulez dire, sans doute, que je ne suis qu'une parmi bien d'autres?

Il y eut un silence. Puis, sur un autre ton, elle dit :

— Monsieur Poirot, je veux vous faire des excuses. L'autre jour, je me suis trompée. J'ai cru que vous aviez manœuvré pour vous faire inviter à Exsham à seule fin d'espionner Howard. Mon oncle m'a, par la suite, expliqué que c'était lui qui vous avait instamment prié de venir, parce qu'il voulait vous demander de tirer au clair le mystère de la disparition de cette miss Sainsbury Seale. C'est bien cela?

— Très exactement.

— C'est pourquoi je regrette les paroles que j'ai prononcées ce soir-là. Ma seule excuse, c'est que les apparences étaient contre vous et que vous aviez bien l'air d'être venu pour vous occuper de Howard et de moi !

— Et quand c'eût été vrai?... N'ai-je pas témoigné honnêtement du fait que Mr Raikes a courageusement sauvé la vie de votre oncle en bondissant sur l'ennemi et en l'empêchant de tirer une seconde fois?

Elle sourit.

— Vous dites les choses de telle façon, monsieur

Poirot, qu'on ne sait jamais si vous parlez sérieusement ou non !

— Croyez, répondit-il gravement, que pour l'instant je parle très sérieusement !

Troublée, elle dit :

— Pourquoi me regardez-vous comme ça?... On dirait que vous me plaignez?

— Il se peut, en effet, que je vous plaigne. A cause de ce que je serai obligé de faire bientôt.

— Alors, ne le faites pas !

— Hélas ! mademoiselle, je n'ai pas le choix.

Les grands yeux de Jane se posèrent sur lui un long moment, puis, d'une voix qui hésitait, elle demanda :

— Cette femme, vous l'auriez retrouvée?

— Disons plutôt que *je sais où elle est.*

— Morte?

— Je n'ai pas dit ça.

— Vivante, alors?

— Je n'ai pas dit ça non plus.

— Enfin, s'écria-t-elle, agacée, c'est nécessairement l'un ou l'autre !

— En réalité, ce n'est pas aussi simple que ça !

— J'ai idée que *vous aimez compliquer les problèmes* !

— On a déjà dit ça de moi.

Jane frissonna.

— C'est curieux, dit-elle. Il fait beau, il fait chaud et, pourtant, tout d'un coup, je me mets à avoir froid.

— Peut-être vaudrait-il mieux que vous marchiez un peu !

Il l'aida à se mettre debout. Elle restait immobile, hésitant visiblement sur ce qu'elle allait faire.

— Monsieur Poirot, dit-elle soudain, Howard veut

m'épouser. Tout de suite. Sans l'annoncer à personne. Il dit qu'autrement jamais je ne serai sa femme, que je n'oserai pas, que je suis faible...

Sa main droite s'était posée sur l'avant-bras de Poirot, qu'elle serrait de toutes ses forces.

— Monsieur Poirot, que dois-je faire?

— Pourquoi est-ce à moi que vous demandez conseil? Vous avez des parents?

— Maman? Si seulement je lui en touche un mot, elle ameutera la maison par ses cris. L'oncle Alistair? Il est plein de sa circonspection et d'ennuyeuse sagesse! Il me semble que je l'entends! « Tu as bien « le temps, ma petite! Il faut être bien sûr de ce « qu'on veut! Ce jeune homme est un peu inquié- « tant! Il ne faut pas précipiter les choses! »

— Vous avez des amis?

— Je n'ai pas d'amis. Je connais un tas de gens avec qui je bois et danse en échangeant des répliques stupides. Le seul homme *vraiment « humain »* que j'aie jamais rencontré, c'est Howard!

— Soit! Mais pourquoi me demander conseil, *à moi*?

Elle hésita et dit enfin :

— Peut-être, monsieur Poirot, parce que je lis sur votre visage que quelque chose vous chagrine, quelque chose que vous savez et *qui va arriver*... Que dois-je faire, monsieur Poirot?

Hercule Poirot, lentement, hocha la tête.

IV

George informa Poirot, quand il rentra chez lui, que l'inspecteur-chef Japp l'attendait dans le salon.

Le policier affichait une mine lugubre.

— Vous le voyez, mon cher Poirot, dit-il, serrant la main du détective, me voici ! Je suis venu pour vous donner les répliques que vous escomptez : Vous êtes vraiment un type merveilleux ! Comment vous y êtes-vous pris? Qu'est-ce qui vous a fait penser à ça?

— Avant tout, répondit Poirot, voulez-vous boire quelque chose? Sirop ou whisky?

— Le whisky sera assez bon pour moi.

Peu après, levant son verre, Japp s'écriait :

— Je bois à la santé d'Hercule Poirot, qui a toujours raison !

Poirot protestant, il ajouta :

— Mais si ! Nous avions là un magnifique suicide. Hercule Poirot déclare que c'est un meurtre, veut que ce soit un meurtre... et, en fin de compte, *c'est bien un meurtre* !

— Vous vous décidez à en convenir?

— Personne ne peut m'accuser d'avoir une tête de cochon ! Devant l'évidence, je m'incline. Le fâcheux, c'est qu'en cette affaire elle était rudement bien cachée !

— Mais vous admettez maintenant qu'*elle est*?

— Oui. Je ne suis venu que pour faire amende honorable et vous apporter la preuve sur un plat d'argent !

— Mon bon Japp, j'ai hâte de vous entendre !

— Voici : le revolver dont Frank Carter s'est servi pour tirer sur Blunt est le frère de celui qui a tué Morley.

Poirot ouvrait de grands yeux.

— Mais c'est extraordinaire !

— Et assez fâcheux pour Mr Frank.

— Pourtant, ça ne prouve rien !

— Non, mais c'est assez pour que l'on reconsidère

le verdict qui a conclu au suicide. Ces deux revolvers sont de fabrication étrangère et d'une marque peu courante.

Hercule Poirot était de plus en plus surpris. Ses sourcils grimpaient vers le haut de son front.

— Non, dit-il enfin. Ce n'est sûrement pas Frank Carter !

Japp poussa un soupir exaspéré.

— Qu'est-ce qui vous prend, Poirot? Vous commencez par affirmer que Morley ne s'est pas suicidé et qu'il a été assassiné et, quand je viens vous dire que je me rends à vos raisons, vous rechignez et ça n'a pas l'air de vous plaire !

— Vous croyez vraiment, demanda Poirot, que c'est Frank Carter qui a tué Morley?

— Ça colle parfaitement ! Carter en voulait à Morley, nous le savons depuis le début. Il est allé, ce matin-là, Queen Charlotte Street. Il a prétendu que c'était pour annoncer à son amie qu'il avait trouvé un emploi. Or, nous avons découvert qu'à ce moment-là, cet emploi, *il ne l'avait pas encore* ! Il en convient aujourd'hui. Premier mensonge. D'autre part, il ne peut prouver où il était à partir de midi vingt-cinq. Il raconte qu'il s'est promené dans Marylebone Road, mais, sa trace, nous ne la relevons qu'à une heure cinq, dans un bar où il est entré. Et le barman déclare qu'il était dans l'état que nous pouvions attendre : il était tout pâle et tremblait comme une feuille.

Hercule Poirot hocha la tête.

— Tout ça ne cadre pas avec mes idées, dit-il.

— Et quelles sont-elles vos idées?

— Ce que vous me dites m'ennuie beaucoup. Oui, beaucoup. Parce que, si vous avez raison...

Il s'interrompit. La porte s'était ouverte doucement

et George, respectueusement incliné devant son maître, s'excusait de le déranger.

— Je vous demande pardon, monsieur, mais...

Il n'alla pas plus loin. Entrée à son tour dans le salon, miss Gladys Nevill, très agitée, l'écartait d'une main impérieuse et, criant plus que parlant, s'adressait au détective.

— Monsieur Poirot...

Japp se levait.

— Moi, je m'en vais ! lança-t-il.

Il sortit de la pièce précipitamment, sans voir le regard hostile de Gladys Nevill qui, dès qu'il eut fermé la porte, reprit, se tournant vers Poirot :

— Ce sale flic, c'est l'homme qui a monté toute l'affaire contre mon pauvre Frank !

Poirot, qui ne se laissait pas déborder par les événements, l'invitant au calme, elle reprit, sans tenir compte de ses conseils :

— Mais c'est la vérité ! Il l'a d'abord accusé d'avoir essayé de tuer ce Mr Blunt et voici maintenant que, non content de ça, il prétend qu'il a aussi assassiné ce pauvre Mr Morley !

Hercule Poirot toussota.

Elle poursuivait, avec un regrettable abus de pronoms personnels qui jetaient quelque confusion dans son discours :

— Admettons que Frank ait fait cette folie ! Il appartient aux « Chemises de l'Empire »... Vous savez ce que c'est? Ils défilent derrière leurs drapeaux, ils ont un salut ridicule... Alors, comme Mrs Blunt *était* une juive notoire... Les chefs endoctrinent les malheureux jeunes gens qui viennent à eux, des jeunes gens parfaitement inoffensifs, comme Frank, ils finissent par leur faire croire qu'ils sont les sauveurs de la patrie et qu'ils font des choses magnifiques. Alors, il a très bien pu...

Poirot réussit à endiguer ce flot de paroles.

— Est-ce là, demanda-t-il, le système de défense de Mr Carter?

— *Oh! non!* Frank se contente de jurer qu'il n'a rien fait et qu'il n'avait jamais vu ce revolver auparavant. Je ne lui ai pas parlé, bien entendu — on ne me l'a pas permis —, mais il a un avocat qui m'a rapporté ce qu'il a dit! Frank déclare qu'il est victime d'un guet-apens.

— Et son avocat, dit doucement Poirot, est d'avis que son client devrait imaginer une histoire plus plausible?

— Ces hommes de loi, s'écria-t-elle, sont des gens tellement impossibles! Ils ne peuvent pas parler *franchement*! Quant à cette inculpation de meurtre, monsieur Poirot, c'est quelque chose d'odieux! C'est elle qui m'inquiète! Il n'est pas possible que Frank ait tué Mr Morley. J'en suis sûre! Il n'avait vraiment pas l'ombre d'une raison pour le faire!

— Est-il exact, demanda Poirot, que, ce matin-là, lorsqu'il s'est rendu Queen Charlotte Street, il n'avait pas encore d'emploi?

— Mais, monsieur Poirot, ça ne change rien! Qu'il ait eu l'emploi le matin ou l'après-midi, qu'est-ce que ça peut faire?

— L'ennui, fit Poirot, c'est qu'il nous a raconté qu'il ne venait que pour vous annoncer qu'il avait trouvé du travail. Il semble maintenant qu'il n'en était rien. Alors, que venait-il faire?

— La vérité, monsieur Poirot, répondit-elle, c'est qu'il était découragé et très abattu. Je croirais même qu'il avait bu un petit peu. Le pauvre Frank n'a pas la tête très solide, les quelques verres qu'il avait absorbés l'ont mis sens dessus dessous, il s'est soudain découvert prêt à faire du scandale et c'est pour avoir une explication avec Mr Morley qu'il est venu Queen Charlotte Street. Il est affreusement susceptible et ce qu'avait dit Mr Morley, qui l'accusait d'avoir sur moi une très mauvaise influence, lui était resté sur le cœur !

— Ce qui l'avait décidé à venir, pendant les heures de travail, faire un esclandre chez votre patron?

— Oui... Je crois qu'il avait là son idée. Naturellement, il avait tort et je ne l'approuve pas.

Songeur, Poirot considéra longuement la jolie fille blonde qui restait debout devant lui, incapable maintenant de retenir ses larmes.

— Saviez-vous, demanda-t-il au bout d'un instant, que Frank Carter avait un revolver?

— Non, monsieur Poirot, je ne le savais pas, je vous le jure ! Et je ne crois pas qu'il en ait eu un !

Poirot la regardait toujours, très perplexe.

— Je vous en supplie, monsieur Poirot, reprit-elle, aidez-nous ! Si seulement je savais que vous êtes de notre côté...

Il l'interrompit et dit doucement :

— Je ne suis du côté de personne. Je suis seulement du côté de la vérité !

V

Débarrassé de Gladys Nevill, Hercule Poirot appela Scotland Yard au téléphone. Japp n'était pas encore rentré, mais le sergent Beddoes possédait le renseignement qu'il désirait et ne demandait qu'à le lui communiquer : non, la police ne détenait pas encore la preuve que Frank Carter eût un revolver avant l'attentat d'Exsham.

Poirot remercia et raccrocha l'appareil. C'était là un point en faveur de Carter. Le seul jusqu'à présent.

Beddoes avait ajouté quelques détails sur la façon dont Frank Carter expliquait sa présence à Exsham en qualité de jardinier. Il maintenait qu'il s'agissait d'une mission à lui confiée par l'Intelligence Service. Il avait reçu des avances d'argent et on lui avait remis des certificats attestant de ses qualités professionnelles en lui disant de se présenter à MacAlister, le chef jardinier, pour solliciter l'emploi vacant. Ses instructions étaient précises : il devait écouter les conversations de ses collègues et, se donnant lui-même pour un « rouge », tâcher de déterminer ceux d'entre eux qui professaient des idées révolutionnaires. Les ordres lui avaient été transmis par une femme qui lui avait dit être connue sous le chiffre Q. H. 56 et auprès de laquelle on lui avait recommandé de se proclamer résolument antirévolutionnaire. Elle l'avait reçu dans une pièce mal éclairée et il ne pensait pas être en mesure de la reconnaître. C'était une rousse, très maquillée.

Poirot avait écouté tout cela sans plaisir. L'histoire « à la manière de Phillips Oppenheim » faisait sa réapparition.

Il songeait à consulter Mr Barnes, d'après qui les aventures de ce genre n'étaient pas toutes du domaine de l'imagination pure.

Le dernier courrier lui apporta une lettre qui ajouta à sa perplexité. Elle était contenue dans une enveloppe de mauvaise qualité, l'écriture était malhabile et le cachet apposé sur le timbre indiquait qu'elle venait du Hertfordshire.

Elle disait :

Cher monsieur,

Espérant que vous voudrez bien me pardonner de vous déranger, parce que je suis très ennuyée et que je ne sais pas ce que je dois faire, vu que je ne veux en aucune façon avoir affaire à la police. Je sais que j'aurais peut-être dû dire ce que je sais plus tôt, mais, comme ils avaient dit que le patron s'était suicidé, j'ai pensé que ça allait comme ça, surtout que je ne voulais pas causer des ennuis à l'ami de miss Nevill et que je n'avais jamais pensé que c'était lui qui avait fait le coup. Mais je vois aujourd'hui qu'il a été pris pour avoir tiré sur un monsieur à la campagne, alors peut-être que ce n'est pas tout et que je dois dire ce que je sais. J'ai mieux aimé vous écrire à vous, étant un ami de miss Morley et m'ayant demandé, l'autre jour, s'il y avait quelque chose, et je regrette de ne pas vous avoir parlé à ce moment-là. Mais j'espère bien que cela ne va pas me faire avoir affaire à la police parce que je n'aimerais pas ça, et ma mère non plus, qui a toujours eu ses idées là-dessus.

Très respectueusement vôtre,
AGNÈS FLETCHER.

— J'ai toujours pensé qu'il y avait un homme dans l'affaire, murmura Poirot, repliant la lettre. Je me suis trompé de client, voilà tout !

CHAPITRE VIII

QUINZE, SEIZE, D'AUTRES SONT A LA CUISINE...

I

Agnès ayant insisté pour ne pas raconter son histoire sous l'œil sévère de miss Morley, c'est dans un salon de thé d'assez fâcheuse mine qu'Hercule Poirot rencontra la jeune femme de chambre.

Le premier quart d'heure de l'entrevue fut consacré à la mère d'Agnès. Il était absolument nécessaire que Poirot sût comme elle avait les idées étroites. Il apprit également que le père de la jeune fille, bien qu'il tînt un café, n'avait jamais eu de difficultés avec la police, que la famille était très bien considérée à Darlingham, Gloucestershire, et que les six enfants, dont deux étaient morts en bas âge, n'avaient jamais donné à leurs parents que des satisfactions. Agnès ajoutait que, si elle avait affaire à la police de quelque façon que ce fût, le papa et la maman Fletcher en mourraient sûrement, car, ainsi qu'elle l'avait dit, ils avaient toujours pu passer partout le front haut et n'avaient jamais eu le moindre ennui avec les autorités.

Ce discours répété plusieurs fois, et chaque fois enjolivé de quelques détails supplémentaires, Agnès consentit à approcher du sujet.

— Je n'ai rien voulu dire à miss Morley, expliqua-t-elle tout d'abord, parce que, des fois, elle aurait bien été capable de me dire qu'il y a longtemps que j'aurais dû parler. Mais j'avais causé de la chose à la cuisinière et nous avions été d'accord, les deux, pour penser que je n'avais rien à dire, puisque les journaux avaient écrit, noir sur blanc, que le patron s'était supprimé parce qu'il s'était trompé dans ses médicaments, qu'il avait encore le revolver dans la main et que tout était donc parfaitement clair. C'est bien votre avis, monsieur?

Poirot en convint et risqua une question, pas trop directe, qui devait, il l'espérait, conduire son interlocutrice vers la révélation promise.

— Quand avez-vous commencé à avoir sur l'affaire une opinion un peu différente?

Elle répondit sans hésiter :

— C'est quand j'ai vu dans le journal que Frank Carter — c'était l'amoureux de miss Nevill — avait tiré sur un monsieur qui l'employait comme jardinier. Je me suis dit à ce moment-là qu'il pourrait bien être un peu piqué. Il y a des gens comme ça, vous savez, des gens qui se croient persécutés, qui se figurent qu'ils sont entourés d'ennemis et, à la fin, ça devient dangereux de les avoir chez soi, vu qu'ils sont bons pour la maison de fous! Et, si je me suis dit qu'il était bien possible que Frank Carter soit comme ça, c'est parce que je me rappelais qu'il en avait toujours à Mr Morley, disant que le patron était contre lui et qu'il voulait le séparer de miss Nevill. Bien sûr, elle, elle n'y faisait pas attention, elle ne laissait jamais rien dire contre lui et elle avait bien raison, c'était mon avis et celui d'Emma. Car on ne peut pas dire que Mr Carter n'était pas joli garçon et que ça n'était pas un monsieur. Naturellement, on n'avait jamais pensé qu'il ferait vraiment quelque chose contre Mr Morley. Quoique ça, ça nous avait tout de même paru un peu drôle ! Vous voyez ce que je veux dire?

Poirot, résolument patient, demanda :

— Qu'est-ce qui vous a paru drôle?

— C'est ce matin-là, monsieur, le matin où Mr Morley s'est suicidé. Je m'étais demandé si je n'allais pas risquer le coup de descendre en vitesse pour chercher le courrier. Le facteur était passé, mais cette rosse d'Alfred n'avait pas monté les lettres. Et il ne les monterait pas, je le savais ! Quand il y avait quelque chose pour miss Morley ou pour Monsieur, il les grimpait, mais si c'était pour moi ou pour Emma il ne prenait pas la peine de nous les apporter avant l'heure du déjeuner. Alors, je suis allée sur le palier et j'ai jeté un coup d'œil par-dessus la rampe. Miss Morley n'aimait pas qu'on descende dans le vestibule pendant les heures de consultation, mais j'espérais que je verrais Alfred conduisant un malade au cabinet et je m'étais dit que je l'appellerais à sa sortie...

Après avoir respiré — elle commençait à en avoir besoin —, Agnès poursuivit :

— Et c'est alors que je l'ai vu ! Pas Alfred, Frank Carter ! Il était sur les marches de l'escalier. Celui de notre étage, au-dessus de l'étage du cabinet. Il était là, debout au milieu des marches, qui attendait en regardant en bas. C'est ça qui, plus tard, m'a paru de plus en plus bizarre. Il avait l'air de guetter... et on voyait bien qu'il ne pensait qu'à ça !

— Quelle heure pouvait-il être?

— Autour de midi et demi, monsieur. Je me suis

dit : « Tiens ! C'est Frank Carter ! Avec miss Nevill « qui est partie pour la journée, il va être rudement « désappointé !... » Je me demandais si je ne ferais pas bien d'aller le prévenir, car je me rendais compte que cette petite saleté d'Alfred ne lui avait rien dit. Sans ça, il ne l'aurait pas attendue là !... Et j'étais en train de me demander ce que j'allais faire quand voilà que, tout d'un coup, comme s'il venait de se décider, il se met à descendre les marches très vite et à filer dans le couloir qui va vers le cabinet. Je me suis dit que Monsieur n'allait pas aimer ça et que ça allait probablement faire du grabuge et, là-dessus, Emma m'a appelée en me demandant ce que je fabriquais. Je suis rentrée et, après, j'ai appris que le patron s'était tiré une balle de revolver. Naturellement, j'ai été bouleversée, comme tout le monde, et tout ça m'est sorti de la tête ! Seulement, plus tard, après que l'inspecteur de police a été parti, j'ai dit à Emma que je n'avais pas raconté que Mr Carter avait été chez Monsieur. Elle m'a demandé si c'était vrai, je lui ai tout expliqué et elle m'a dit que peut-être je devrais le dire. Je lui ai répondu que j'aimais mieux attendre; elle m'a dit que j'avais raison et qu'il n'y avait pas besoin de causer des ennuis à Frank Carter si on pouvait l'éviter. Ça fait que, plus tard, quand il y a eu l'enquête, puisqu'il était prouvé que Monsieur s'était trompé dans ses drogues et qu'il s'était tué — c'était naturel, puisqu'il s'en était aperçu —, je me suis dit qu'il n'y avait pas besoin de rien dire, vu que ça ne servirait à rien. Seulement, quand j'ai vu cet article dans le journal, il y a deux jours, j'en ai eu les sangs retournés. Et je me suis dit : « Si c'est « un de ces cinglés qui s'imaginent que tout le monde « les persécute et qui se baladent en tuant les gens,

« alors, il est bien possible après tout que ce soit « lui qui ait tué Monsieur ! »

Ses yeux inquiets dévisageaient Poirot. Soucieux de la rassurer, il mit dans sa voix toute la douceur possible pour lui répondre.

— Vous pouvez être sûre, Agnès, dit-il, que vous avez bien fait de me raconter ça !

Elle parut respirer plus à l'aise.

— Je peux dire, monsieur, que vous m'enlevez un poids de sur la conscience ! Vous comprenez, je n'arrêtais pas de me demander si je ne devais pas parler ! Seulement, avoir affaire à la police, ça m'ennuyait. Qu'est-ce que maman dirait? C'est une femme qui a des principes...

— Bien sûr ! dit vivement Poirot. Je comprends fort bien !

Il estimait avoir assez entendu parler de Mrs Fletcher mère pour un seul après-midi.

II

Poirot se rendit à Scotland Yard et demanda à parler à Japp.

A peine entré dans le bureau de l'inspecteur-chef, il lui dit :

— Je désirerais voir Carter.

Japp le regarda du coin de l'œil.

— Qu'est-ce que vous méditez encore?

— Vous ne voulez pas?

Le policier haussa les épaules.

— Oh ! ce n'est pas *moi* qui soulèverai la moindre objection ! Qui est le petit chouchou du ministre de l'Intérieur? Vous ! Qui est-ce qui a la moitié du Cabinet dans sa manche? Vous encore! Ça sert à quelque chose d'étouffer les scandales pour ces messieurs!

Japp faisait allusion à une affaire que Poirot avait baptisée « l'Affaire des écuries d'Augias ».

Poirot répondit, à mi-voix, mais avec un petit air satisfait :

— Reconnaissez que j'avais manœuvré habilement et que c'était bien imaginé!

— Personne, dit Japp, n'aurait jamais pensé à une chose pareille. Il m'arrive de me demander, mon cher Poirot, si vous avez jamais des scrupules!

Le visage de Poirot prit soudain une expression de douloureuse gravité :

— Vous n'avez pas le droit, Japp, de vous poser cette question!

— Ne vous fâchez pas, Poirot! Vous savez bien que je plaisantais! Vous êtes quelquefois tellement content de votre maudite ingéniosité!

Sur un autre ton, il demanda :

— Pourquoi voulez-vous voir Carter? Pour lui demander s'il a vraiment tué Morley?

— C'est exactement pour ça! répondit Poirot.

— Et vous comptez qu'il vous le dira? reprit Japp avec un gros rire.

— Ce n'est pas impossible!

Le sérieux de Poirot fit impression sur Japp.

— Mon cher Poirot, dit-il, il y a longtemps que je vous connais. Une vingtaine d'années ou quelque chose comme cela! Malgré ça, je ne vois pas toujours où vous voulez en venir. Je sais que vous avez, en ce qui concerne ce Frank Carter, une idée de derrière la tête. Pour une raison ou pour une autre, vous ne voulez pas qu'il soit coupable...

Poirot protestait énergiquement.

— Non, non, vous vous trompez ! Ce serait plutôt le contraire !

— Je pensais que peut-être à cause de son amie, la jolie blonde... A certains égards, vous êtes un vieux sentimental...

Cette fois, Poirot s'indignait.

— Jamais de la vie ! s'écria-t-il. S'il y a un sentimental ici, ce n'est pas moi ! La sentimentalité, c'est une spécialité britannique. C'est en Angleterre qu'on pleurniche sur les jeunes amoureux, les vieilles mamans qui n'en finissent pas de mourir et les bons petits garçons qui aiment bien leurs parents. Moi, je me contente d'être logique. Si Frank Carter a tué, je ne suis certainement pas assez niais pour souhaiter de lui voir épouser une fille, jolie, mais qui ressemble à beaucoup d'autres et qui, s'il est pendu, l'aura oublié dans un an ou deux et aura trouvé un autre amoureux !

— Alors, pourquoi ne voulez-vous pas croire à sa culpabilité?

— Mais *je voudrais croire à sa culpabilité !*

— Je suppose que vous voulez dire par là que vous avez découvert quelque chose qui tendrait plus ou moins à prouver qu'il est innocent? Si c'est le cas, pourquoi gardez-vous ça pour vous? Vous ne jouez pas le jeu, Poirot !

— Si, mon cher Japp, je joue le jeu et je suis envers vous d'une absolue loyauté. En fait, avant peu, je vous donnerai le nom et l'adresse d'un témoin qui sera d'un prix inestimable pour l'accusation. C'est une femme et sa déposition accable Carter.

— Mais, alors, je ne comprends plus rien du tout !... Pourquoi tenez-vous tant à le voir?

— *Pour ma satisfaction personnelle,* répondit Poirot.

Japp ne put tirer de lui autre chose.

III

Très pâle, les yeux hagards, encore tout disposé à laisser éclater sa rage, Frank Carter dévisageait avec une hostilité ouverte le visiteur inattendu qui était venu le trouver.

— Ainsi, s'écria-t-il d'une voix mauvaise, c'est vous ! Vous n'êtes pour moi qu'un sale petit microbe d'étranger ! Qu'est-ce que vous me voulez ?

— Je veux vous voir et vous parler.

— Eh bien ! regardez-moi. Mais je ne parlerai pas, sinon en présence de mon avocat. C'est mon droit et vous n'y pouvez rien ! J'ai le droit de refuser de répondre quand je ne suis pas assisté de mon conseil !

— Je ne le conteste pas. Vous pouvez le faire appeler si vous voulez, mais j'aimerais mieux pas !

— Je m'en doute ! Vous vous imaginez que vous serez assez malin pour me faire reconnaître des choses qui m'enfonceront ?

— Je vous ferai remarquer que nous sommes seuls.

— Ce qui est d'ailleurs assez extraordinaire ! Vos petits copains les flics nous écoutent tout de même, c'est probable !

— Vous vous trompez ! Il s'agit d'un entretien privé, rigoureusement privé, entre vous et moi.

Frank Carter éclata de rire.

— Ça va comme ça, dit-il ensuite. C'est un vieux truc avec lequel vous ne m'aurez pas !

Imperturbable, Poirot demanda :

— Vous souvenez-vous d'une jeune femme du nom d'Agnès Fletcher ?

— Jamais entendu parler d'elle !

— Je crois que vous vous souviendrez d'elle, bien

que vous n'ayez jamais fait grande attention à elle. Elle était femme de chambre, 58, Queen Charlotte Street.

— Et après?

— Le jour de l'assassinat de Mr Morley, répondit Poirot, parlant avec une lenteur voulue, il s'est trouvé que cette Agnès, qui était sur le palier du dernier étage, a regardé par-dessus la rampe et qu'elle vous a aperçu. Vous étiez dans l'escalier. Vous attendiez, l'oreille tendue. Elle vous a vu ensuite vous diriger vers le cabinet de Mr Morley. Il était midi vingt-six ou à peu près...

Frank Carter tremblait. Des gouttes de sueur perlaient sur son front. Ses yeux s'écarquillaient, reflétant une peur intense.

— C'est faux! s'écria-t-il avec colère. C'est un mensonge! Un odieux mensonge! Vous l'avez payée, la police l'a payée, pour qu'elle dise qu'elle m'a vu!

Poirot restait très calme. Il poursuivit :

— A ce moment-là, d'après vos déclarations, vous étiez sorti de la maison et vous marchiez dans Marylebone Road.

— Et c'est la vérité! Cette fille ment! Elle ne peut pas m'avoir vu! C'est une machination infâme! Si elle m'a vu, comme elle le prétend, pourquoi n'a-t-elle pas parlé plus tôt?

— A l'époque, répondit Poirot, elle a signalé le fait à son amie la cuisinière. Elles étaient très ennuyées et ne savaient ce qu'elles devaient faire. Le verdict de suicide rendu, elles se sentirent soulagées et considérèrent qu'il n'y avait plus de raison de parler.

— Je ne crois pas un mot de tout ça! Elles ont partie liée contre moi, voilà tout! Ce sont deux sales...

Poirot écouta sans émotion les injures variées qui

suivirent. Le flot écoulé, il reprit de sa voix calme et mesurée :

— Ce n'est pas en vous mettant en colère et en vous conduisant comme un imbécile que vous vous tirerez d'affaire ! Ces deux femmes raconteront leur petite histoire et on les croira. Parce que, voyez-vous, elles disent la vérité. La femme de chambre, Agnès Fletcher, *vous a bel et bien vu.* Vous étiez là, dans l'escalier. Vous n'aviez pas quitté la maison. Et *vous êtes effectivement entré dans le cabinet de Morley.*

Après une courte pause, il ajouta, du même ton tranquille :

— A ce moment-là, que s'est-il passé?

— Je vous dis que c'est un mensonge !

Hercule Poirot se sentait soudain très vieux, très fatigué. Il n'avait pour ce Frank Carter aucune sympathie. C'était même trop peu dire. Pour lui, Carter était une brute, un menteur, un escroc, un de ces hommes dont le monde se passerait avec avantage. Ce qu'il avait de mieux à faire, lui, Hercule Poirot, c'était de se retirer et de laisser ce jeune homme s'entêter dans ses mensonges. La planète y gagnerait d'être bientôt débarrassée d'un de ses habitants les plus déplaisants...

— Je vous conseillerais de me dire la vérité, fit-il pourtant.

Il comprenait parfaitement la situation. Frank Carter était bête, mais pas assez pour ne pas se rendre compte que son meilleur système de défense était encore de nier. Qu'il admît une fois qu'il était bien entré dans le cabinet de Morley à midi vingt-six et il courait les plus gros risques. Car, après cela, tout ce qu'il pourrait dire avait de fortes chances d'être considéré comme un mensonge. Qu'il persistât dans ses dénégations et Hercule Poirot pourrait tenir sa tâche pour terminée. Frank Carter, selon toutes probabilités, serait pendu pour l'assassinat de Morley, et peut-être bien à juste titre.

Hercule Poirot n'avait qu'à se lever et à s'en aller.

— Je n'ai rien fait, dit Frank Carter.

Hercule Poirot ne se leva pas. Il avait envie de partir. Terriblement, pourtant, il restait...

Il se pencha vers Carter et, d'une voix où il mettait tout son pouvoir de persuasion, d'une voix qui voulait convaincre, il dit :

— Carter, je ne vous veux pas de mal et je vous demande de me croire si vous n'avez pas tué Morley, votre seule chance de salut est de me dire *la vérité vraie* sur ce qui s'est passé ce matin-là !

Une expression de doute s'inscrivit sur le visage hypocrite de Carter. Ses doigts tourmentaient nerveusement sa lèvre inférieure et ses yeux étaient ceux d'un animal traqué.

C'était tout de suite ou jamais...

Et, brusquement, vaincu par la puissante personnalité du détective, Carter se décida.

Il parla.

— Très bien ! dit-il. Je vais tout vous raconter et malheur à vous si vous m'enfoncez. C'est vrai, je suis entré dans le cabinet de Morley. J'étais monté dans l'escalier et j'avais attendu pour être plus sûr qu'il serait bien seul. J'étais au-dessus du palier de son étage. Un type est sorti, un gros, qui est descendu. Je venais de décider d'entrer quand il en est sorti un autre, qui est descendu, lui aussi. Je savais qu'il n'y avait pas de temps à perdre. J'ai pris le couloir et je suis entré sans frapper. J'étais bien résolu à lui dire ce que je pensais de lui, de la façon dont il essayait de dresser mon amie contre moi...

Il s'interrompit.

— Et? fit Poirot.

Le ton exigeait. Carter reprit :

— *Morley était là, étendu de tout son long sur le plancher. Il était mort.* C'est la vérité, je le jure! Il était couché, juste comme les policiers l'ont trouvé. Je ne voulais pas en croire mes yeux. Je me suis penché sur lui. Il était bel et bien mort et sa main était déjà froide. Il avait un trou dans le front, avec autour un peu de sang coagulé...

Il parlait avec effort, d'une voix oppressée.

— J'ai tout de suite compris, reprit-il, que je m'étais mis dans une fichue situation. On m'accuserait du crime, c'était sûr! Je n'avais rien touché, sauf sa main et le bouton de la porte. La main, ça ne risquait rien. Le bouton, je l'ai bien essuyé des deux côtés avant de m'en aller, puis j'ai filé aussi vite que j'ai pu. Il n'y avait personne dans le hall. Je suis sorti et je me suis éloigné d'un bon pas. Pas besoin de vous dire que je devais avoir l'air drôle, vous vous en doutez!

Après un silence, ses yeux dans ceux du détective, il ajouta :

— Je vous jure que j'ai dit la vérité. *Il était déjà mort quand je suis arrivé!* Il faut me croire.

Poirot se leva. Il semblait las et fatigué.

— Je vous crois, dit-il.

Il se dirigea vers la porte. Frank Carter le regardait, affolé.

— On me pendra si on sait que je suis entré dans le cabinet! On me pendra!

Poirot s'arrêta.

— En me disant la vérité, répondit-il, vous avez sauvé votre peau.

— Je ne vois pas ça comme vous! On dira...

Poirot ne le laissa pas continuer.

— Ce que vous m'avez raconté, dit-il, confirme ce que je savais déjà et ce que je tenais déjà pour vrai. Vous pouvez vous en rapporter à moi !

L'instant d'après, il sortait.

Il n'était pas content du tout.

IV

Il arriva à Ealing, chez Mr Barnes, vers sept heures moins le quart. Mr Barnes lui avait déclaré, il s'en souvenait, que c'était une heure excellente pour faire des visites : on était sûr de trouver les gens chez eux.

Mr Barnes, qui travaillait dans son jardin, accueillit Poirot en proclamant que la terre avait besoin d'eau. Puis, ayant longuement considéré le détective, il lui demanda « ce qui n'allait pas ».

— Il arrive parfois, répondit Poirot, que j'aie à faire des choses qui ne me font pas plaisir !

— Je connais ça ! fit laconiquement Mr Barnes.

Le regard de Poirot errait sur les plates-bandes et les massifs.

— Votre jardin est admirablement dessiné, remarqua-t-il. Tout est à l'échelle. Il est petit, mais bien proportionné en toutes ses parties.

— Quand on n'a que peu de place, dit Mr Barnes, il faut en faire le meilleur usage possible. On ne peut pas se permettre une erreur dans le tracé...

Poirot approuva de la tête.

— J'ai vu, reprit Mr Barnes, que vous aviez trouvé votre homme.

— Frank Carter?

— Oui. J'avoue que cet épilogue me surprend assez.

— Vous ne pensiez pas qu'il s'agissait d'un banal

assassinat ayant des mobiles d'ordre purement privé?

— Certes, non ! A cause d'Amberiotis et d'Alistair Blunt, j'étais persuadé que ce crime cachait une affaire d'espionnage !

— C'est ce que vous m'avez dit lorsque je suis venu vous voir.

— Je sais... Et, à ce moment-là, j'étais convaincu que je voyais juste.

— Et pourtant, dit Poirot, vous vous trompiez.

— Ne me retournez pas le fer dans la plaie ! s'écria Barnes. L'ennui, voyez-vous, c'est que chacun de nous raisonne selon sa petite expérience personnelle. J'ai été mêlé à tant d'affaires d'espionnage que je suis enclin à en voir partout !

— Connaissez-vous, demanda Poirot, ce tour que font les manipulateurs et qui s'appelle la « carte forcée »?

— Certes !

— Eh bien ! ce tour, on n'a cessé de me le faire tout au long de l'enquête. Chaque fois que nous avons cru avoir découvert quelque raison pour un particulier de tuer Morley, on nous a présenté la carte forcée et nous l'avons prise. Amberiotis, Alistair Blunt, la situation politique, etc. Et plus que quiconque, monsieur Barnes, vous nous avez lancés sur de fausses pistes.

— Je le crois, cher monsieur Poirot, et vous m'en voyez navré !

— C'est que, vous, vous étiez placé pour *savoir*. De sorte que vos paroles avaient du poids...

— J'étais sincère, c'est la seule excuse que je puisse invoquer !

Il ajouta, après un soupir :

— Et il s'agit bien d'un crime d'ordre privé?

— Oui, répondit Poirot. Il m'a fallu du temps pour

découvrir le mobile... et cela bien que la chance m'ait servi !

— Comment cela?

— En me faisant surprendre quelques répliques d'une conversation, quelques phrases qui auraient dû m'éclairer si, à ce moment-là, j'avais compris ce qu'elles voulaient dire.

Mr Barnes, songeur, se grattait le nez avec son plantoir. Une parcelle de terre resta collée à sa narine gauche.

— Vous parlez par énigmes ! dit-il.

— C'est peut-être, expliqua Poirot, parce que je vous en veux un peu d'avoir manqué de franchise avec moi !

— Moi?

— Mais oui !

— Mais, mon cher ami, répliqua Barnes, c'est que je n'ai jamais pensé que Carter pouvait être coupable ! J'ai toujours cru qu'il avait quitté la maison bien avant la mort de Morley. J'imagine que vous avez découvert qu'il n'est pas parti à l'heure où il prétendait l'avoir fait?

— Carter, dit lentement Poirot, était dans la maison à midi vingt-six. *Il a vu l'assassin.*

— Alors, ce n'est pas lui qui...

— Je vous répète qu'il a vu l'assassin.

— Et... l'a-t-il reconnu?

De la tête, Poirot fit non.

CHAPITRE IX

DIX-SEPT, DIX-HUIT, D'AUTRES FONT LE SERVICE...

I

Le lendemain, Hercule Poirot passa une partie de la matinée avec un agent théâtral de ses amis. L'après-midi, il alla à Oxford. Le jour suivant, il se rendit à la campagne en automobile et il était tard quand il rentra chez lui.

Avant de partir, il avait pris rendez-vous, pour ce même soir, avec Alistair Blunt, chez qui il arriva vers neuf heures et demie.

Le financier l'attendait dans sa bibliothèque. Il alla à sa rencontre et, tout en lui serrant les mains, dit :

— Alors?

Poirot fit oui d'un mouvement de tête.

Encore incrédule, Blunt demandait :

— Vous l'avez trouvée?

— Oui, je l'ai trouvée.

Poirot s'assit et poussa un soupir.

— Vous êtes fatigué?

— Oui, fit le détective. Je suis fatigué. Et puis, ce que j'ai à vous dire n'a rien d'agréable !

— Elle est morte !

Lentement, pesant ses mots, Poirot répondit :

— Ça dépend comment on considère la chose.

Blunt fronça le sourcil.

— Mon cher ami, répliqua-t-il, on est mort ou on est vivant. Il n'y a pas de milieu. Ou miss Sainsbury Seale est morte ou elle est vivante !

— Oui, mais qui est miss Sainsbury Seale?

— Voudriez-vous dire qu'elle n'existe pas?

— Du tout ! déclara Poirot. Miss Sainsbury Seale a existé. Elle a vécu à Calcutta, où elle donnait des leçons de diction et s'occupait de bonnes œuvres. Elle est rentrée en Angleterre sur le *Maharanah,* sur le même bateau que M. Amberiotis. Ils ne voyageaient pas dans la même classe, mais il eut quand même l'occasion de lui rendre service, à propos de ses bagages. Il était, semble-t-il, un homme aimable dans l'ordinaire de la vie. Et, comme il arrive parfois que la gentillesse soit récompensée de façon inattendue, M. Amberiotis eut la bonne fortune, en se promenant dans Londres, de rencontrer miss Sainsbury Seale par pur hasard. Cela lui fit plaisir et, dans un bon mouvement, il l'invita à déjeuner avec lui au Savoy. Pour elle, c'était une petite fête sur laquelle elle ne comptait pas. Pour lui, c'était un coup de chance qu'il n'eût jamais osé espérer. Car il n'y avait pas calcul de sa part et il ne s'imaginait certes pas, en la priant à déjeuner, que cette vieille fille déjà fanée allait lui offrir l'équivalent d'une mine d'or. Et, pourtant, c'est ce qu'elle fit, sans d'ailleurs s'en douter. C'était une brave fille, remplie de bonnes intentions, mais pas très intelligente. Je dirais volontiers qu'elle avait exactement une cervelle de poulet...

— Alors, demanda Blunt, ce n'est pas elle qui a tué cette dame Chapman?

Poirot ne répondit pas à la question.

— Je ne sais pas trop comment vous raconter mon histoire, dit-il après quelques secondes de réflexion. Le mieux est sans doute de commencer par ce qui fut pour moi le commencement, c'est-à-dire *par le soulier.*

— Le soulier?

Blunt était extrêmement surpris. D'un signe de tête, Poirot lui confirma qu'il avait bien entendu.

— Oui, reprit-il, le soulier. Un soulier à boucle. Je venais de passer une demi-heure dans le fauteuil de Morley et j'étais sur le perron du 58, Queen Charlotte Street quand un taxi s'arrêta au ras du trottoir. La porte s'ouvrit et j'aperçus le pied d'une femme qui se préparait à descendre de la voiture. Je suis, j'en fais l'aveu, de ces hommes qu'une jolie cheville ne laisse pas insensibles. Celle que je regardais n'était pas vilaine, la jambe était gainée d'un bas de qualité, mais la chaussure ne me plaisait pas. Elle était neuve, d'un cuir qui brillait au soleil, mais ornée d'une grande boucle qui lui enlevait tout le chic qu'elle aurait pu avoir. Bientôt, je vis la dame à qui ce pied appartenait et, je serai franc, mon désappointement fut vif : la dame approchait de la cinquantaine, elle était sans grâce et mal habillée.

— C'était miss Sainsbury Seale?

— C'était elle. En quittant la voiture, elle eut un petit ennui : son pied accrocha la porte et la boucle de sa chaussure fut arrachée. Elle tomba par terre, je la ramassai et la rendis à la dame. L'incident était clos.

« Je devais revoir la dame dans l'après-midi, quand j'allai lui rendre visite avec l'inspecteur-chef Japp. Je note au passage que la boucle de son soulier n'avait pas encore été recousue. Le même soir, miss Sainsbury Seale sortait à pied de son hôtel et disparaissait. Ici s'achève ce que nous appellerons, si vous le voulez bien, le chapitre premier. »

« Le chapitre deux commença lorsque l'inspecteur-chef Japp me demanda d'aller le rejoindre aux King Leopold Mansions, dans un appartement où l'on avait découvert un corps enfermé dans une malle à fourrures. J'entrai dans la pièce, je jetai un coup d'œil sur la malle ouverte et la première chose que je vis, ce fut cette vieille chaussure à boucle !

— Et alors?

— Vous ne m'avez pas tout à fait saisi ! C'était *une vieille chaussure,* une chaussure qui avait été beaucoup portée. Miss Sainsbury Seale était venue à cet appartement le soir même de l'assassinat de Morley. Le matin, ses souliers étaient neufs, le soir, ils étaient usés. C'est là un résultat qu'on n'obtient pas en l'espace de quelques heures.

Bien que l'observation ne parût pas l'intéresser outre mesure, Blunt souleva une objection :

— C'est exact, mais il me semble qu'on peut admettre qu'elle possédait deux paires de souliers semblables !

— Oui, répondit Poirot, mais *je savais qu'il n'en était rien.* Japp et moi, nous avions visité la chambre qu'elle occupait au Glengowrie Court et passé ses affaires en revue. Il n'y avait là aucun soulier à boucle. J'admets qu'elle aurait pu avoir une vieille paire de chaussures, qu'elle aurait mises pour se reposer les pieds à la fin d'une journée fatigante, mais, dans ce cas, la paire neuve aurait été à l'hôtel. Convenez que c'est curieux !

— Peut-être, dit Blunt avec un sourire. Mais ça ne me paraît pas très important !

Poirot fit la grimace.

— Ce n'était pas important, reprit-il, mais c'était ennuyeux. Je n'aime pas ce qui me semble inexplicable. Je m'approchai de la malle et j'examinai le soulier : la boucle avait été récemment recousue à la main. Cette constatation faite, je dois reconnaître que je doutai de moi. « Mon cher Hercule, me dis-
« je, à quoi diable pensais-tu ce matin? Tu devais
« regarder le monde à travers des lunettes roses!
« Les vieux souliers, tu les prenais pour des neufs! »

— Peut-être était-ce là l'explication?

— Non, car mes yeux ne me trompent pas. Laissant le soulier, je m'occupai du cadavre, et je dois dire que ce que je vis ne me plut guère. Ce visage, qui n'était plus qu'une bouillie informe, pourquoi l'avait-on frappé avec une inimaginable sauvagerie pour le rendre méconnaissable?

Alistair Blunt s'agita dans son fauteuil.

— Est-il bien nécessaire de reparler de ça? Nous savons...

Poirot lui coupa la parole d'un ton sans réplique :

— C'est indispensable! Il faut que je vous montre comment, par étapes, je suis parvenu à découvrir la vérité. Voici donc ce que je me suis dit devant ce cadavre : « Il y a là-dedans, mon cher Hercule,
« quelque chose qui ne colle pas! Cette femme
« morte porte les vêtements de miss Sainsbury
« Seale — je ne parle pas des souliers, qui posent
« un problème à part —, elle a près d'elle le sac
« à main de miss Sainsbury Seale et elle est défi-
« gurée. Pourquoi? Ne serait-ce pas parce que ce
« visage n'est pas celui de miss Sainsbury Seale?... »
Immédiatement, je rassemble tout ce que j'ai entendu dire de l'apparence physique de *l'autre femme*, celle qui a loué l'appartement, et je me demande : « Ce cadavre qui est là, ne serait-ce pas *celui de*

« *l'autre femme?...* » Je passe dans la chambre à coucher de cette femme et j'essaie de me représenter cette Mrs Chapman. A première vue, elle ne ressemble guère à l'autre : elle est élégante, habillée de façon assez voyante et très maquillée. Mais, pour l'essentiel, les deux femmes ne sont pas tellement différentes : même couleur de cheveux, même silhouette, même âge. Un point, pourtant, à noter : Mrs Chapman chaussait du 36, alors que miss Sainsbury Seale — dont les bas, je le savais, étaient du « deux » — devait vraisemblablement porter du 38. Mrs Chapman avait le pied plus petit que miss Sainsbury Seale. Pourvu de ce renseignement, je retournai près du cadavre. Si l'idée que j'entrevoyais était la bonne, si le corps était celui de Mrs Chapman revêtu des vêtements de miss Sainsbury Seale, *les souliers devaient être trop grands*. Je constatai qu'ils étaient justes. Ce qui semblait indiquer que, contrairement à ce que j'imaginais, c'était bien en fin de compte le cadavre de miss Sainsbury Seale que j'avais sous les yeux. Mais, alors, *pourquoi l'avait-on défigurée* et pourquoi avait-on laissé près d'elle, prouvant son identité, ce sac à main qu'il eût été si facile d'emporter?

« C'était là un mystère, une énigme... et qui me tenait en échec. En désespoir de cause, je pris le carnet d'adresses de Mrs Chapman, pour y chercher celle de son dentiste, qui était l'homme indiqué pour résoudre le problème en nous fixant sur l'identité du corps. Coïncidence : Mr Morley était le dentiste de Mrs Chapman. Il était mort, mais l'identification restait possible. Le successeur de Morley devait, vous le savez, venir dire à l'enquête que le cadavre était bien celui de Mrs Albert Chapman.

Alistair Blunt donnait de menus signes d'impatience, mais Poirot, décidé à n'en point tenir compte, poursuivait :

— J'avais maintenant à résoudre un problème d'ordre psychologique : quel genre de femme était miss Sainsbury Seale? La question comportait deux réponses. La première, évidente, était donnée par la vie même qu'elle avait menée aux Indes et par le témoignage de ses amis personnels : miss Sainsbury Seale était une personne pas très intelligente, mais très active et très consciencieuse. Seulement, n'existait-il pas une autre miss Sainsbury Seale? Il semble bien qu'on pouvait répondre oui. Il y avait une miss Sainsbury Seale qui avait déjeuné avec un homme notoirement connu comme un agent de l'étranger, une femme qui vous avait abordé dans la rue en prétendant — faussement, nous en avions la quasi-certitude — avoir été l'amie de votre défunte épouse, une femme qui était sortie de la maison d'un homme très peu de temps avant qu'un meurtre n'y fût découvert, qui avait rendu visite à une autre femme dans la soirée même où cette autre femme avait, selon toute vraisemblance, été assassinée, et qui, depuis, avait disparu et ne donnait point signe de vie, encore qu'elle dût savoir que toutes les forces de police de l'Angleterre étaient à sa recherche. Tout cela était-il compatible avec ce que ses amis nous disaient de miss Sainsbury Seale? On pouvait, semble-t-il, affirmer que non. Si, donc, miss Sainsbury Seale *n'était pas* la bonne créature qu'elle semblait être, on pouvait fort bien penser qu'il était possible qu'elle fût une criminelle au remarquable sang-froid ou, à tout le moins, la complice d'un meurtrier.

« Mes souvenirs personnels me confirmaient dans cette opinion. J'avais eu moi-même un entretien avec Mabelle Sainsbury Seale. Quelle impression m'avait-elle faite? Cette question, monsieur Blunt, j'eus quelque peine à y répondre. Ses propos, ses gestes, ses manières, son attitude, sa façon de parler, tout cela s'accordait parfaitement avec ce que l'on m'avait dit de sa personne. *Mais tout cela pouvait aussi être le fait d'une bonne comédienne jouant un rôle.* Et, après tout, c'est comme actrice que miss Sainsbury Seale avait débuté dans la vie.

« J'avais été fortement impressionné par une conversation que j'avais eue avec Mr Barnes, d'Ealing, qui, lui aussi, s'était rendu ce jour-là 58, Queen Charlotte Street, pour y recevoir les soins de Morley. Il m'avait déclaré, avec une conviction significative, que la mort de Morley et celle d'Amberiotis étaient en quelque sorte des accidents et que celui qu'on voulait faire disparaître, *c'était vous* !

— Voyons ! dit Blunt. Est-ce que ce n'est pas aller chercher bien loin...

— Croyez-vous? demanda Poirot, sans lui laisser le temps de finir sa phrase. N'est-il pas vrai qu'en ce moment même il est plusieurs groupes d'individus pour qui il serait essentiel que vous disparaissiez, qui auraient intérêt à ce que vous fussiez mis hors d'état d'exercer sur les affaires une influence quelconque?

— J'en conviens. Mais pourquoi établir un rapport entre les menées de ces individus et la mort de Morley?

— Parce qu'il me semble bien que l'affaire était *d'une importance considérable.* Pour l'assassin, l'argent ne comptait pas, non plus que la vie humaine !

— Vous ne croyez pas que Morley s'est tué parce qu'il avait commis une erreur tragique?

— Je ne l'ai jamais cru !... Pas une seconde !... Non. Morley a été assassiné, comme a été assassiné Amberiotis, comme a été assassinée également une femme au visage méconnaissable. Pourquoi? Soyez sûr que l'enjeu en valait la peine! Pour Barnes, quelqu'un avait essayé d'acheter Morley ou son associé pour qu'il vous tuât!

— Ça ne tient pas debout!

— En êtes-vous bien sûr? Un homme veut en supprimer un autre. Mais cet autre se tient sur ses gardes, il est protégé et difficile à approcher. Pour le tuer, il faut arriver à lui sans éveiller ses soupçons. Où se méfiera-t-il moins que lorsqu'il sera assis dans le fauteuil de son dentiste?

— Vous avez peut-être raison, mais j'avoue que c'est là une chose à quoi je n'ai jamais pensé!

— J'ai *certainement* raison. Et, cette théorie admise, j'ai commencé à entrevoir la vérité.

— Vous avez donc accepté l'hypothèse de Barnes. Au fait, qui est ce Mr Barnes?

— Barnes est le malade que Reilly a reçu à midi. C'est un petit homme insignifiant, qui a occupé un poste au ministère de l'Intérieur et qui s'est retiré à Ealing. Mais vous faites erreur quand vous dites que j'ai accepté son hypothèse. Je n'en ai retenu que le principe.

— C'est-à-dire?

— D'un bout à l'autre de cette affaire, j'ai été lancé sur des voies qui ne menaient nulle part, tantôt sans qu'on l'eût cherché et tantôt parce qu'on l'avait voulu dans un dessein bien déterminé. On s'est efforcé de me persuader que l'homme qui devait jouer le rôle de la victime principale n'était pas visé en tant que particulier, mais en tant qu'*homme public*. Et cet homme, monsieur Blunt, c'était vous, non pas vous personnellement, mais le banquier, le financier, qui régit le marché, le porte-drapeau des traditions conservatrices.

« Mais — et c'est ce que j'ai eu le grave tort d'oublier —, *tout homme public a une vie privée*. Je n'ai pas songé à ça tout de suite et, pourtant, de même qu'on pouvait avoir des raisons particulières de tuer Morley — celles de Frank Carter, par exemple —, de même on pouvait avoir des raisons particulières, *des raisons privées*, de vous tuer, *vous* ! N'aviez-vous pas des parents qui, à votre mort, hériteraient votre fortune et n'y avait-il pas, à côté de ceux qui vous aimaient, des gens qui vous haïssaient, non pas en tant qu'homme public, *mais en tant qu'homme tout simplement*?

« Et j'en arrive ainsi à vous reparler de cette « carte forcée » à laquelle je faisais allusion tout à l'heure. Ceci, à propos du prétendu attentat commis contre vous par Frank Carter. S'il s'agissait d'un véritable attentat, c'était à première vue *un crime politique. A moins qu'une autre explication ne fût possible... et elle l'était*. Il y avait là un second homme, celui qui a bondi sur Carter pour l'immobiliser. Cet homme pouvait fort bien avoir tiré sur vous et avoir jeté son revolver aux pieds de Carter, ce qui devait nécessairement amener celui-ci à le ramasser...

« Howard Raikes posait un problème que j'examinai avec soin. Raikes s'était rendu Queen Charlotte Street le matin de la mort de Morley. Il était l'ennemi déclaré de l'homme que vous étiez et de tout ce pour quoi vous combattiez. Mais il était plus encore : *il était celui qui pouvait épouser votre nièce.* Vous disparu, miss Olivera jouira d'un revenu fort coquet, celui du capital que vous avez décidé de lui laisser, en veillant d'ailleurs, précaution très sage, à ce qu'elle ne le puisse entamer.

« Mais si, en fin de compte, il s'agissait, comme

j'inclinais alors à le penser, d'un crime d'ordre purement privé, n'ayant d'autre mobile que le banal appât du gain, pourquoi donc avais-je cru que c'était l'homme public qui était visé? *Simplement parce que, cette idée, on me l'avait suggérée, non pas une fois, mais à plusieurs reprises, parce qu'on s'était appliqué à me la faire adopter, un peu comme le prestidigitateur fait prendre au spectateur la carte qu'il a choisie pour lui, la carte forcée!*

« C'est lorsque j'eus compris cela que je commençai, très vaguement encore, à soupçonner la vérité. A ce moment-là, j'étais à l'église, chantant un psaume où il était question de pièges et de filets aux mailles serrées. Etait-il possible qu'on m'eût tendu un piège? Pourquoi pas? Mais, alors, *qui* pouvait l'avoir machiné? *Je ne voyais pour cela qu'une personne...* et l'hypothèse semblait absurde! Probablement parce que je n'avais pas envisagé l'affaire comme elle devait l'être. Je l'avais prise *par le mauvais bout*. L'argent ne compte pas? D'accord. La vie humaine non plus! D'accord, également. Oui, c'était bien cela. Et cela parce que *l'enjeu était énorme*!

« Si cette étrange idée qui m'était venue était juste, *elle devait tout expliquer*. Aussi bien le mystère des deux personnalités, si différentes l'une de l'autre, de miss Sainsbury Seale, que l'énigme de la boucle de soulier. Et elle devait aussi répondre à la question suivante : *Où se trouve maintenant miss Sainsbury Seale?*

« Eh bien; elle expliquait tout ça... et bien d'autres choses encore. Pour commencer, je compris que miss Sainsbury Seale était toute l'affaire : son commencement, son milieu et sa fin. Il m'avait semblé y avoir deux Mabelle Sainsbury Seale? Rien d'étonnant! Car *il y avait effectivement deux Mabelle*

Sainsbury Seale. La première, c'était la femme de cœur, gentille et un peu bête, dont ses amis disaient tant de bien; la seconde, celle qui s'était trouvée mêlée à deux assassinats, celle qui mentait, celle qui avait si mystérieusement disparu...

« Vous vous en souvenez peut-être, le concierge des King Leopold Mansions nous avait déclaré que miss Sainsbury Seale était déjà venue une première fois chez Mrs Chapman. Examinant l'affaire de nouveau, j'acquis bientôt la conviction que cette visite fut la seule qu'elle ait jamais rendue à l'appartement, dont elle n'était jamais ressortie. *L'autre miss Sainsbury Seale* avait pris sa place. Cette deuxième Mabelle Sainsbury Seale, portant des vêtements semblables à ceux de la vraie Mabelle Sainsbury Seale et, les souliers de la morte étant trop grands pour elle, des chaussures *neuves* ornées de boucles, c'est elle qui est allée au Russell Square Hotel. Elle avait choisi son heure : elle est arrivée à un moment où tout le monde avait beaucoup à faire, elle a ramassé les affaires de miss Sainsbury Seale et, ses valises faites et sa note payée, elle est allée s'installer au Glengowrie Court Hotel. A dater de ce jour, les amis de la vraie Mabelle ne devaient plus la voir. L'autre joua son rôle pendant plus de huit jours : elle était Mabelle Sainsbury Seale, elle portait les vêtements de Mabelle Sainsbury Seale, elle imitait la voix de Mabelle Sainsbury Seale. Notons, en passant, qu'elle avait dû acheter des chaussures du soir d'une pointure plus petite que celle des souliers de la vraie Mabelle Sainsbury Seale. Un beau jour, elle disparut. On l'avait vue pour la dernière fois dans la soirée, le jour de la mort de Morley, rentrant au King Leopold Mansions.

— Est-ce que vous prétendriez, demanda Alistair

Blunt, qu'en définitive le corps qui était dans la malle *était bien celui de miss Sainsbury Seale*?

— Mais, bien entendu ! s'écria Poirot. Il ne s'agissait que d'un double bluff particulièrement adroit ! *Le visage de la morte n'avait été défiguré que pour soulever la question d'identité.*

— Mais l'assassin devait bien se douter que la police ferait procéder à l'examen de la denture du cadavre?

— J'y arrive ! L'expertise ne pouvait être confiée *au dentiste même* qui donnait ses soins à la victime, pour l'excellente raison qu'il était mort. Il aurait, *lui*, reconnu son travail et donné avec une certitude absolue le nom de la morte. Son successeur, lui, ne pouvait que s'en rapporter aux fiches des malades... et ces fiches avaient été falsifiées. Les deux femmes étant clientes de Morley, il suffisait de prendre leurs deux fiches et de les recopier en changeant les noms.

« Et voilà pourquoi, monsieur Blunt, tout à l'heure, quand vous m'avez demandé si miss Sainsbury Seale était morte, je vous ai répondu : « Ça dépend !... » Car, lorsque vous dites, vous, « miss Sainsbury Seale », *de qui voulez-vous parler*? De la femme qui a disparu du Glengowrie Court Hotel ou de la vraie Mabelle Sainsbury Seale?

Après un long silence, Alistair Blunt répondit :

— Je sais, monsieur Poirot, que vous jouissez d'une réputation méritée, et c'est pourquoi je ne doute pas que l'hypothèse que vous avancez — je tiens au mot « hypothèse » — ne repose sur des bases solides. Pourtant, toute cette affaire me semble bien invraisemblable ! Vous prétendez, si j'ai bien compris, que Mabelle Sainsbury Seale a été assassinée et que Morley a été tué, lui aussi, parce qu'il eût été en mesure, et lui seul, d'identifier le cadavre. Sa mort à lui s'expliquerait. Mais l'autre? Une vieille fille, parfaitement inoffensive, qui a beaucoup d'amis et, autant qu'on sache, qui n'a pas d'ennemis, pourquoi diable aurait-on voulu la supprimer?

— En effet, dit Poirot. *Pourquoi?* C'est la question qui se pose. Vous l'avez dit, Mabelle Sainsbury Seale était une créature innocente qui n'aurait pas fait de mal à une mouche! Pourquoi donc l'a-t-on assassinée? Pourquoi s'est-on acharné sur son cadavre avec une ignoble sauvagerie? Pourquoi?... Eh bien! je vais vous donner mon avis là-dessus!

— Je vous écoute.

— Je suis convaincu, poursuivit lentement Poirot, que Mabelle Sainsbury Seale a été tuée parce qu'il se trouvait qu'elle avait la mémoire des physionomies.

— Que voulez-vous dire?

— Nous avons bien établi, expliqua Poirot, la distinction à faire entre les deux Mabelle Sainsbury Seale. Il y a, d'une part, la brave dame qui a vécu aux Indes et, d'autre part, l'excellente comédienne qui joue le rôle de la brave dame qui a vécu aux Indes. Reste à préciser un point de ces deux Mabelle Sainsbury Seale : quelle est celle qui vous a abordé sur le perron de Mr Morley? Elle prétendait, vous vous en souvenez, avoir été « une grande amie » de votre femme. Affirmation inexacte, si nous nous en rapportons à ce que nous ont dit les personnes qui ont connu miss Sainsbury Seale et même si nous nous en tenons aux simples probabilités. Nous pouvons donc dire : « Cette femme mentait. La véritable miss Sainsbury Seale ne mentait pas. Donc, il s'agit là d'un mensonge, commis par la fausse miss Sainsbury Seale, dans un dessein bien déterminé. »

Alistair Blunt approuva du chef.

— Le raisonnement est très clair, dit-il. Ce que je ne vois pas, c'est la raison de ce mensonge !

— Attendez ! reprit Poirot. Envisageons les choses autrement. La dame qui vous a abordé était *la vraie* miss Sainsbury Seale. Elle ne ment pas. Donc, *ce qu'elle dit est vrai* !

— C'est évidemment une hypothèse que l'on peut faire, admit Blunt, mais elle est bien invraisemblable !

— J'en conviens, fit Poirot. Mais examinons-la tout de même ! Miss Sainsbury Seale a dit vrai : elle a connu votre femme, elle l'*a bien connue*. D'où il suit que *votre femme devait être de ces gens avec qui miss Sainsbury Seale pouvait être intime,* quelqu'un dont la situation n'était pas très différente de la sienne, une Anglaise vivant aux Indes, attachée à une mission peut-être ou, pour aller plus loin, une comédienne. *En tout cas, pas Rebecca Arnholt !*

« Et sans doute voyez-vous maintenant, monsieur Blunt, pourquoi j'insistais tout à l'heure sur les mots « vie publique » et « vie privée ». Vous êtes un grand banquier, mais vous êtes aussi un homme qui a épousé une femme riche. Et, avant votre mariage, vous n'étiez dans la banque qu'un jeune associé qui, sorti d'Oxford, n'était pas dans les affaires depuis bien longtemps.

« Vous le voyez, maintenant, je commençais à regarder l'affaire *comme il fallait le faire* ! L'argent ne compte pas? En ce qui vous concerne, c'est bien évident ! La vie humaine non plus? C'est vrai également ! Depuis longtemps, vous êtes en fait un dictateur... et, si pour un dictateur sa vie est précieuse, celle des autres est sans importance !

— Qu'est-ce que vous insinuez, monsieur Poirot? demanda Alistair Blunt.

Sans se départir de son calme, Poirot répondit :

— Simplement, monsieur Blunt, que, lorsque vous avez épousé Rebecca Arnholt, *vous étiez déjà marié.* Vous ne teniez pas tellement à être immensément riche, mais la perspective de détenir un pouvoir presque illimité vous éblouissait. Vous avez caché votre premier mariage et, en pleine connaissance de cause, vous êtes devenu bigame, avec l'agrément de votre première femme, votre véritable femme !

— Et qui était cette première femme?

— C'est sous le nom de Mrs Albert Chapman qu'elle vivait dans un appartement des King Leopold Mansions, à cinq minutes à pied de votre résidence personnelle. Vous aviez emprunté le nom d'un agent secret réellement existant, afin qu'on la crût plus facilement lorsqu'elle laisserait entendre que son mari travaillait dans les services de contre-espionnage. Votre plan réussit à merveille et nul ne soupçonna jamais quoi que ce fût. Cependant, le fait demeurait, indiscutable : *votre mariage avec Rebecca Arnholt n'avait jamais eu la moindre valeur légale* et vous vous étiez rendu coupable du crime de bigamie. Les années avaient passé et vous pensiez bien que tout danger était maintenant écarté. La menace surgit tout à coup sous l'apparence d'une pauvre femme passablement ennuyeuse qui, vous apercevant vingt ans plus tard, se souvint que vous étiez le mari de son amie. Le hasard l'avait ramenée en Angleterre, le hasard l'avait mise sur votre chemin et c'est le hasard encore qui voulut que votre nièce fût avec vous et qu'elle entendît les propos de cette femme. Si je ne les avais connus, peut-être n'aurais-je pas deviné la vérité.

— Mais, mon cher Poirot, ces propos, c'est moi-même qui vous les ai rapportés !

— Non, c'est votre nièce qui insista pour me parler de l'incident, idée que vous ne pouviez combattre trop ouvertement sans éveiller les soupçons. Et le destin, qui, décidément, jouait contre vous, voulut qu'après vous avoir quitté, Mabelle Sainsbury Seale rencontrât Amberiotis, qui l'invita à déjeuner et à qui elle dit avec quelle surprise elle venait de retrouver le mari d'une de ses amies d'autrefois. « Il y « avait des années que je ne l'avais vu ! Il a vieilli, « évidemment, mais il a à peine changé ! » Je devine, c'est entendu, mais c'est bien ainsi que les choses ont dû se passer. Je ne crois pas, le nom que vous portez étant assez courant, que miss Sainsbury Seale se soit rendu compte que le Mr Blunt qui avait épousé son amie n'était autre que le puissant financier dont, comme tout le monde, elle avait dû entendre parler. Mais Amberiotis n'était pas seulement un espion, mais aussi un maître chanteur. Comme tous ses pareils, il flairait les secrets que les gens tiennent à cacher. Ce Blunt dont Mabelle Sainsbury Seale l'entretenait, était-il le grand Blunt? Il se le demanda et n'eut pas de peine à se renseigner. Sur quoi, j'en suis sûr, il entra en relation avec vous, soit par lettre, soit par un coup de téléphone. Aucun doute, il était bien tombé sur une mine d'or !

Poirot se tut quelques secondes, puis reprit :

— Le seul moyen efficace de se débarrasser d'un maître chanteur audacieux et habile, c'est de le réduire au silence. Je m'étais trompé sur le problème — qui n'était pas, comme je l'avais cru : « Comment faire disparaître Blunt? » mais : « Comment faire disparaître Amberiotis? » — mais la réponse restait la même. Il est toujours excellent d'attaquer quand la victime choisie ne se tient pas sur ses gardes.

Et quand se méfie-t-elle moins que lorsqu'elle est assise dans le fauteuil du dentiste?

Un demi-sourire pinça les lèvres de Poirot, qui poursuivit :

— La vérité, il est curieux de le noter, fut dite, tout à fait par hasard, presque tout au début de l'affaire. Alfred, le groom, lisait un roman policier qui s'appelait : *La Mort vient à 11 h 45*. Nous aurions dû voir dans ce titre un présage, car c'est effectivement vers cette heure-là que Morley fut tué. Vous l'avez abattu juste au moment de le quitter. Ensuite, vous avez pressé le bouton d'appel du groom, vous avez ouvert le robinet du lavabo — placé dans l'angle, juste derrière la porte — et vous êtes sorti. Vous aviez calculé votre temps de façon à arriver au bas de l'escalier à l'instant où le jeune Alfred introduisait la fausse Mabelle Sainsbury Seale dans l'ascenseur. Vous avez ouvert la porte d'entrée, il est même possible que vous ayez franchi le seuil, mais, dès que l'ascenseur fut en route, vous êtes rentré et vous êtes remonté dans l'escalier.

« Par expérience, je sais très exactement comment se comporte Alfred quand il conduit un client à son patron : il frappe à la porte, il ouvre et il s'efface pour laisser passer le malade. Il a fait comme à l'habitude. Il a entendu couler l'eau du robinet et il en a conclu que Morley, caché par la porte, se lavait les mains. Il a fermé la porte et il est retourné à l'ascenseur.

« Dès que vous avez entendu le bruit de l'ascenseur qui redescendait, vous avez repris la montée de l'escalier et vous êtes retourné au cabinet. Aidé de votre complice, vous avez transporté le corps dans le petit bureau et cherché dans le classeur les fiches de Mrs Chapman et de miss Sainsbury Seale, que vous avez rapidement falsifiées. Vous avez passé une blouse blanche et peut-être votre femme, à l'aide d'un maquillage habile, a-t-elle quelque peu modifié votre physionomie. A vrai dire, je ne crois pas qu'il en ait été besoin. Amberiotis rendait visite à Morley pour la première fois, il ne vous avait jamais rencontré et, votre photographie ne paraissant dans les journaux que de loin en loin, il est probable qu'il ne connaissait pas vos traits. Enfin, il ne se méfiait pas : un maître chanteur n'a rien à redouter de son dentiste. Miss Sainsbury Seale — la fausse — s'en va, reconduite par le groom. Le voyant se met au blanc et Alfred vous amène Amberiotis, qui trouve le dentiste en train de se laver les mains. Vous l'installez dans le fauteuil, il vous montre la dent qui le fait souffrir, vous lui faites le petit boniment d'usage et lui dites qu'il ne serait pas mauvais d'insensibiliser la gencive. Il accepte et vous lui injectez la dose de procaïne et d'adrénaline qui le tuera. Peu après, il se retire. Il ne se doute de rien et vos capacités professionnelles lui ont donné pleine satisfaction.

« Après son départ, vous retirez le corps de Morley du petit bureau et, le traînant sur le tapis, car il vous faut maintenant le manier seul, vous le ramenez dans le cabinet, où vous l'étendez sur le sol. Vous essuyez le revolver, avant de le lui placer dans la main, vous essuyez le bouton de la porte pour en faire disparaître vos empreintes, puis vous vous en allez, descendant l'escalier à pas feutrés et traversant le hall au moment favorable. C'est le seul instant où vous ayez vraiment couru quelques risques.

« De fait, tout s'était admirablement passé ! Deux personnes menaçaient votre sécurité. Elles étaient mortes toutes les deux. Vous aviez dû sacrifier également une troisième victime, mais, de votre point de vue, il n'y avait pas moyen de faire autrement. Et tout s'expliquait le mieux du monde. Morley s'était suicidé parce qu'il avait commis une erreur ayant entraîné la mort d'Amberiotis. Ce sont de ces choses qui arrivent !

« Malheureusement pour vous, *je suis là* ! Je me doute que l'affaire n'est pas aussi simple qu'il semble. Je fais des objections. Tout ne va pas comme vous l'espériez, et vous devez envisager une seconde ligne de défense : si c'est absolument nécessaire, un innocent paiera à votre place ! Vous vous étiez très minutieusement renseigné sur ce qui se passait dans la maison de Morley et vous connaissiez l'existence de Frank Carter. Il ferait l'affaire ! Votre complice s'arrange pour le faire engager chez vous comme jardinier, mais dans des conditions si mystérieuses que si jamais, plus tard, il vient à raconter son histoire, nul ne voudra la croire, tellement elle paraîtra ridicule et suspecte. Un jour, on découvrira le cadavre enfermé dans la malle à fourrures. D'abord, on croira qu'il s'agit de celui de miss Sainsbury Seale. L'expertise dentaire prouvera qu'il n'en est rien. Coup de théâtre ! Non pas gratuit, comme on pourrait le croire, mais *nécessaire*. Vous ne tenez pas à ce que toutes les forces policières de Grande-Bretagne se mettent à la recherche d'une dame Chapman. Non ! Qu'il soit bien entendu que Mrs Albert Chapman est morte et qu'on continue à battre le pays pour retrouver miss Sainsbury Seale ! Celle-là, on ne la retrouvera pas. Et, au surplus, vous avez assez d'influence pour obtenir que ces recherches ne s'éternisent pas.

« Seulement, il est indispensable que vous sachiez *ce que je fais*. Pour cela, vous me faites appeler et vous me demandez de retrouver miss Sainsbury Seale. Et, obstiné, vous me jouez le coup de la « carte forcée ». Votre complice me téléphone : avertissement mélodramatique, destiné moins à m'effrayer qu'à me convaincre — toujours — qu'il s'agit d'une affaire d'espionnage, que, si vous êtes mêlé à l'histoire, c'est *en tant qu'homme public*. Votre femme est une excellente comédienne. Mais, lorsqu'on cherche à déguiser sa voix, on a, naturellement, tendance à imiter la voix d'un autre. Votre femme prit celle de Mrs Olivera, ce qui eut pour effet, je dois l'avouer, de me dérouter un moment.

« Vint ensuite l'invitation à Exsham. C'est là que vous mîtes en scène le dernier tableau. Quoi de plus simple que de dissimuler dans un buisson de lauriers un revolver chargé, en le plaçant de telle façon que l'homme chargé d'émonder la haie fera nécessairement partir le coup? L'arme tombe à ses pieds. Surpris, il la ramasse. Que demander de plus? Il est pris sur le fait! Il racontera une histoire invraisemblable, celle de son engagement, et son revolver est le frère de celui qui a abattu Morley. Il est pris... et l'excellent Hercule Poirot a donné dans le panneau!

Alistair Blunt se rassit dans son fauteuil. Son visage était grave et un peu triste.

— Monsieur Poirot, dit-il, ne vous méprenez pas sur le sens de mes paroles. Quelle est, dans tout cela, la part de l'hypothèse et *que savez-vous exactement?*

— J'ai, répondit Poirot, la copie d'une licence de mariage, enregistrée près d'Oxford et portant les noms de Martin Alistair Blunt et de Gerda Grant. Frank Carter a vu deux hommes quitter le cabinet de Morley un peu après midi vingt-cinq. Le premier, un gros, était Amberiotis. Le second ne peut être que vous, mais Frank Carter, qui ne vous a vu que d'en haut et de dos, ne vous a pas reconnu.

— Il est très bien à vous de mentionner ce détail.

— Carter est entré dans le cabinet, où il a trouvé le corps de Morley. Ses mains étaient froides et il y avait autour de la blessure un peu de sang coagulé et séché. Ce qui prouve que Morley était mort depuis un certain temps déjà et, par conséquent, que le dentiste de qui Amberiotis avait reçu des soins n'était pas Morley, mais l'assassin de Morley.

— Rien d'autre?

— Si. *Hélène Montressor a été arrêtée cet après-midi.*

Alistair Blunt eut un petit sursaut. Il se ressaisit et dit, très calme :

— Dans ces conditions, il n'y a plus à discuter.

— Je le crois, fit Poirot. La véritable Hélène Montressor, votre lointaine cousine, est morte au Canada, il y a sept ans. Vous avez tenu l'événement secret et vous en avez tiré parti.

L'ombre d'un sourire passa sur le visage d'Alistair Blunt, qui parla ensuite avec une sorte d'enjouement et de la façon la plus naturelle.

— Toute cette aventure, dit-il, je voudrais que vous compreniez qu'elle a prodigieusement amusé Gerda. Je l'avais épousée sans en rien dire à ma famille. Elle faisait du théâtre, mes parents étaient des gens assez collet monté, j'allais entrer dans la banque, il était préférable de se taire. Gerda continua à jouer. Mabelle Sainsbury Seale appartenait à la même troupe. Elle était au courant. Elle l'abandonna pour partir avec une tournée qui quittait l'Angleterre; des Indes, où elle se trouvait, elle écrivit une ou deux fois à Gerda, puis nous n'entendîmes plus parler d'elle. Nous devions pourtant apprendre que Mabelle, qui n'avait jamais été d'une intelligence particulièrement remarquable, s'était amourachée de je ne sais quel Hindou. Elle était de ces filles qui croient tout ce qu'on leur raconte.

« Je vous demande de comprendre ce que furent ma rencontre avec Rebecca et mon mariage avec elle. Gerda, elle, le comprit. Je dirais volontiers que l'on m'offrait un trône. J'épousais une reine, je devenais une sorte de prince consort, voire une sorte de roi. C'est exactement cela. Ma nouvelle union n'avait point altéré mes sentiments pour Gerda : je l'aimais toujours et j'entendais bien ne pas me séparer de celle que j'appelais « mon épouse morganatique ». Les choses, d'ailleurs, se passaient fort bien. J'avais beaucoup d'affection pour Rebecca, qui était remarquablement douée pour la finance, comme je l'étais moi-même. Nous formions une équipe excellente, nous travaillions ensemble avec une même joie, elle fut pour moi une compagne idéale et je crois que je la rendis heureuse. Sa mort me causa un immense chagrin.

« Chose curieuse, Gerda et moi, nous avions pris goût au secret de nos rencontres. Nous avions recours à mille stratagèmes ingénieux, qui nous enchantaient. Comédienne de race, Gerda avait un répertoire de sept à huit personnages. A Londres, elle était Mrs Albert Chapman. A Paris, elle devenait une veuve américaine, que je rencontrais là-bas quand mes affaires m'appelaient en France. Elle se transformait en artiste peintre pour aller en Norvège, où je me rendais moi-même sous prétexte de pêche. Finalement, je la fis passer pour ma cousine, Hélène Montressor. Le jeu nous amusait et notre amour, je crois, s'en trouvait bien. Après la mort de

Rebecca, nous aurions pu nous marier de nouveau, mais nous n'y tenions pas. Gerda n'aurait pas aimé la vie un peu « représentative », un peu « officielle », que j'étais obligé de mener et, surtout, le secret de nos amours ignorées nous plaisait. Vivre, sous le même toit, au vu et au su de tout le monde, nous aurait semblé morne et sans attraits.

Blunt s'arrêta. Puis, la voix changée, plus dure, il reprit :

— Et il a fallu que cette idiote de femme vînt tout gâcher! Pourquoi, après tant d'années, m'a-t-elle reconnu? Et pourquoi n'a-t-elle rien eu de plus pressé que d'aller parler de cette rencontre à Amberiotis? Vous devez bien comprendre qu'il *fallait faire quelque chose*. Il ne s'agissait pas seulement de moi et je n'envisageais pas la situation de mon seul point de vue personnel. Le scandale m'abattrait, me ruinerait, mais le pays, *mon pays*, serait touché, lui aussi! Car, monsieur Poirot, vous m'excuserez de le dire, j'ai fait quelque chose pour l'Angleterre. J'appartiens à ce petit groupe d'hommes, grâce auxquels elle a échappé aux dictatures, à celle de droite comme à celle de gauche. L'argent, en tant qu'argent, ne m'intéresse pas. J'aime le pouvoir, mais j'ai horreur de la tyrannie. L'Angleterre est démocratique, sincèrement démocratique. Nous critiquons nos gouvernants, nous disons d'eux ce que nous pensons, nous nous moquons d'eux, bien souvent, mais *nous sommes libres*. Cette liberté, j'ai combattu pour elle tout au long de ma vie. Que je vienne à disparaître et vous savez, monsieur Poirot, ce qui se passera probablement. *Le pays a besoin de moi*. Un sale petit Grec, une fripouille de maître chanteur, un bandit sans foi ni loi, allait détruire l'œuvre de ma vie entière! *Il fallait* faire quelque chose. Gerda fut de mon avis.

C'est avec tristesse que nous pensions au destin qui attendait Mabelle Sainsbury Seale, mais il était impossible de la sauver. Il fallait obtenir son silence et elle n'était pas de celles qui savent tenir leur langue. Gerda alla la voir, l'invita à prendre le thé chez elle, lui disant qu'elle habitait dans l'appartement de Mr Chapman et qu'elle devrait demander Mrs Chapman. Mabelle vint sans méfiance. Elle mourut sans s'en apercevoir. Le « médinal » était dans le thé. C'est un poison qui tue sans douleur : on s'endort et on ne se réveille pas. Ensuite, il a fallu la défigurer. Une sale besogne, qui me levait le cœur, mais que nous avions jugée indispensable : il fallait que Mrs Chapman disparût pour de bon. J'avais donné à ma « cousine » Hélène une villa à Exsham, où elle vivait. Nous avions décidé qu'en fin de compte nous nous marierions un peu plus tard. Mais, auparavant, il fallait supprimer Amberiotis. Notre plan réussit à merveille ! Pas une seconde, il ne se douta qu'il n'avait pas affaire à un authentique dentiste. Je me débrouillai très bien avec le davier et les pinces, mais je ne me risquai pas à manier la fraise. Naturellement, l'injection faite, il ne sentait plus rien. Dans le fond, c'était peut-être préférable...

— Les revolvers? demanda Poirot.

— Ils appartenaient à un secrétaire que j'avais aux Etats-Unis. Il les avait achetés là-bas et avait oublié de les emporter en me quittant.

Après un silence, Alistair Blunt ajouta :

— Voyez-vous encore autre chose à me demander?

— Morley? dit simplement Poirot.

— Je regrette ce qui lui est arrivé.

Poirot répondit par un grognement et les deux hommes restèrent muets un bon moment.

Blunt parla le premier.

— Et maintenant? dit-il.

— Hélène Montressor est déjà arrêtée, fit Poirot.

— Et maintenant, c'est mon tour?

— C'est ce que je voulais dire.

— Mais, dit doucement Alistair Blunt, ça ne vous fait pas plaisir?

Poirot soupira.

— Non, ça ne me fait pas plaisir !

Alistair Blunt reprit :

— J'ai tué trois personnes. Donc, je présume que *je devrais* être pendu. Mais vous avez entendu ma défense...

— Qui est?

— Que je crois, en mon âme et conscience, que je suis nécessaire au maintien de la paix et de la prospérité dans ce pays.

— C'est très possible, dit Poirot.

— C'est bien votre avis?

— C'est mon avis. Vous défendez toutes les idées qui me sont chères !

— Merci.

Après un long silence, Alistair Blunt demanda :

— Alors, que décidez-vous?

Poirot le regarda.

— Vous pensez que... je devrais abandonner l'affaire?

— Oui.

— Et votre femme?

— J'ai des relations, je m'arrangerai. Nous démontrerons sans peine qu'on s'est trompé sur la personne.

— Et si je refuse?

— Alors, répondit Blunt d'un ton calme, je paierai.

Il ajouta aussitôt :

— La décision, monsieur Poirot, est entre vos mains, mais je tiens à le répéter — et ce n'est pas, croyez-moi, à seule fin de me sauver, moi —, le monde a besoin de moi. Et savez-vous pourquoi? Eh bien ! parce que je suis un honnête homme ! Et aussi parce que j'ai du bon sens et que je n'ai pas d'ambitions personnelles !

Poirot approuva d'un mouvement de tête. Tout cela, si étrange que cela pût paraître, il le croyait.

— C'est un point de vue, dit-il. Vous êtes « l'homme qu'il faut à la place qu'il faut ». Vous avez l'esprit droit, vous avez le jugement sain, vous êtes un homme intègre. Mais, d'autre part, il y a trois morts !

— Oui, mais qui sont-ils? s'écria Blunt. Mabelle Sainsbury Seale, vous l'avez dit vous-même, une pauvre femme qui n'avait pas plus de cervelle qu'un poulet ! Amberiotis, lui, un escroc et un maître chanteur !

— Et Morley?

— Je vous l'ai dit, je suis désolé de ce qui lui est arrivé. Mais, après tout, ce n'était qu'un brave homme doublé d'un bon dentiste. *Il y a d'autres bons dentistes* !

— Oui, reconnut Poirot, il y a d'autres bons dentistes. Mais Frank Carter? Vous l'auriez laissé mourir sans regret !

— Je garde ma pitié pour ceux qui en sont dignes, répliqua Blunt. C'est un voyou, un vaurien...

— Mais c'est un être humain !

— Nous sommes tous des êtres humains !

— Oui, monsieur Blunt, nous sommes tous des êtres humains et c'est justement ce dont vous ne vous êtes pas souvenu ! Mabelle Sainsbury Seale n'était qu'une pauvre folle, Amberiotis, un escroc, Frank Carter, un vaurien et Morley, un dentiste comme tant d'autres. C'est exact, mais, pour le reste, je ne vois pas les choses comme vous. Pour moi, la vie de ces quatre personnes est aussi importante que la vôtre.

— Vous vous trompez !

— Non, je suis dans le vrai. Vous êtes un honnête homme. Vous avez commis une lourde faute et, en apparence, vous étiez resté le même : intègre, droit, loyal. Mais au fond de vous-même, l'appétit du pouvoir avait grandi dans des proportions gigantesques. Et, un jour, à cause de lui, vous avez sacrifié quatre vies humaines, en vous disant qu'elles étaient de peu de prix.

— Mais, Poirot, vous ne comprenez donc pas que, dans une très large mesure, la sécurité et le bonheur de la nation dépendent de moi?

— Je ne m'occupe pas des nations, monsieur Blunt, mais des individus. Ce bien inestimable qui leur appartient, la vie, personne n'a le droit de le leur enlever !

Poirot se levait.

— C'est donc là votre réponse? demanda Alistair Blunt.

Lentement, d'une voix lasse, Poirot répondit :

— Oui, c'est ma réponse.

Il alla à la porte et l'ouvrit. Deux hommes entrèrent...

II

Pâle et les yeux tirés, Jane Olivera était debout près de la cheminée. Howard Raikes se tenait à ses côtés.

— Alors? demanda-t-elle à Poirot, qui entrait dans la pièce.

— C'est fini, répondit Poirot, presque à mi-voix.

— C'est-à-dire? fit Raikes.

Poirot, précisa :

— Mr Alistair Blunt a été arrêté pour meurtres.

— J'aurais pourtant bien cru qu'il aurait acheté votre silence, déclara Howard Raikes.

— *Moi,* dit Jane, c'est une pensée qui ne m'est jamais venue !

Hercule Poirot les regardait.

Il soupira et dit :

— Le monde est à vous, mes enfants, ce monde que vous voulez nouveau ! Dans ce monde nouveau, tâchez qu'il y ait place pour la Liberté et pour la Pitié ! C'est tout ce que je vous demande !

CHAPITRE X

DIX-NEUF, VINGT, MON ASSIETTE EST VIDE...

I

Hercule Poirot rentrait chez lui par les rues désertes, quand il rencontra Mr Barnes.

— Alors?

A la question, Poirot répondit par un haussement lent des épaules, accompagné d'un geste désabusé. Barnes insista :

— Comment s'est-il défendu?

— Il reconnaît tout et déclare seulement qu'il lui fallait se défendre. Il ajoute que le pays a besoin de lui.

— C'est exact. Vous ne croyez pas?

— Si, je le crois.

— De sorte que...

— Seulement, reprit Poirot, je puis me tromper.

— En effet, admit Mr Barnes. Je n'y pensais pas. Nous pouvons nous tromper.

Ils firent quelques pas côte à côte, puis Barnes demanda à Poirot à quoi il songeait.

Poirot répondit par une citation :

— « *Parce que tu as rejeté la parole de Dieu,* « *Dieu t'a privé de la Royauté...* »

— Je vois, dit Barnes. Saül... les Américains... Oui, on peut considérer la chose comme cela...

Ils firent quelques pas.

— Je m'arrête ici, fit Barnes. Je prends le métro. Avant, pourtant, je voudrais vous dire quelque chose...

— Quoi donc, mon cher ami?

— Une explication que je vous dois. C'est sans le vouloir que j'ai poussé vos recherches dans une fausse direction. Avec cet Albert Chapman, Q.X.912.

— Ah ! oui?

— Albert Chapman, c'est moi. C'est une des raisons pour lesquelles l'affaire m'intéressait. Et, tout de même, je savais bien que je n'avais jamais été marié...

Il s'éloigna rapidement. Il riait...

Hercule Poirot resta un instant immobile.

Il poussa un léger soupir, murmura :

— « *Dix-neuf, vingt, mon assiette est vide!* »

Puis il reprit le chemin de son domicile.

ACHEVÉ D'IMPRIMER LE 1er OCTOBRE 1971 SUR LES PRESSES DE L'IMPRIMERIE BUSSIÈRE, SAINT-AMAND (CHER)

— N° d'impression : 1279. —
Dépôt légal : 2e trimestre 1966.
Imprimé en France